Langues pour tous

Collection dirigée par
Jean-Pierre Berman, Michel Marcheteau et Michel Savio

L'italien tout de suite !

par

Alessandra Chiodelli-Mc Cavana

 une version sonore (non vendue séparément) est
disponible en coffret (1 livre + 1 K7), réf. 8568.

D0496158

Présentation

Cet ouvrage ne nécessite aucune connaissance grammaticale préalable. Il est destiné à tous ceux qui, pour une raison ou pour une autre, n'ont pas le temps de se consacrer à un apprentissage approfondi et systématique de l'italien. Il est donc conçu pour les aider à exprimer un certain nombre de messages simples et pratiques. Pour ce faire, votre manuel part de formules et d'expressions en français dont il vous fournit l'équivalent en italien. Ainsi, dès la première leçon, vous serez TOUT DE SUITE opérationnel.

L'italien tout de suite comprend deux parties :

Partie A, de 1 à 20 :

• Vingt unités de quatre pages construites autour de formules de grande fréquence : *je suis, j'ai, je voudrais, combien... ?, comment... ?, pourquoi... ?,* suivies d'un vocabulaire de base le plus concret possible.

• Des explications et des remarques élémentaires viennent s'y ajouter, renforcées par des exercices avec correction instantanée.

Partie B, de 1 à 20 :

• Vingt unités présentent le vocabulaire par centres d'intérêt : nourriture, logement, transports, santé...

• Des exercices avec correction instantanée utilisent les structures et les formules proposées dans la partie A.

Mode d'emploi

• **Partie A** : vous pouvez soit l'étudier systématiquement pour vous initier rapidement aux structures les plus courantes de l'italien, soit, en cas d'urgence, recourir directement à la structure dont vous avez besoin, par exemple A11 : « *Je veux* », « *Je voudrais* »... et la mettre TOUT DE SUITE en application.

• **Partie B** : vous pouvez soit étudier systématiquement les différents secteurs de vocabulaire qui vous sont proposés, soit choisir celui dont vous avez besoin TOUT DE SUITE, par exemple B9 : « L'hôtel ».

• En fin de volume, un **mémento grammatical** permet à ceux qui le souhaitent un survol des conjugaisons et présentent des tableaux d'éléments de base. Un **lexique** d'un millier de mots peut être utilisé comme dictionnaire de poche dans les deux sens (italien-français, français-italien).

Enregistrement

[OO] Une cassette d'environ une heure vous permet de vous familiariser avec la prononciation de l'italien (qui ne pose d'ailleurs pas de problème à un francophone), en écoutant et en répétant les formules les plus utiles.

Prononciation

Les voyelles et consonnes qui ne figurent pas dans ce tableau ne présentent aucune difficulté de prononciation.

Pour plus de détails sur la prononciation, notamment celle des lettres de l'alphabet italien, voir le **mémento grammatical**, p. 128.

lettre(s)	son(s)	exemple(s)
c	[k] devant a, o, u	caffè [kaffè]
	[tch] devant e, i	c'è [tchè], ci [tchi], ciao [**tcha**o]
ch	[k]	chiave [**kia**vé], poche [**po**ké]
e	[é] ou [è]	e [é] *et*, è [è] *est*
g	[g] devant a, o, u	agosto [a**go**sto]
	[dj] devant e, i	giornale [djor**na**lé]
gh	[gu]	ghirlanda [guir**lan**da]
gli	[lyi]	gli [lyi], bagagli [ba**ga**lyi]
gn	[gn]	bagno [**ba**gno]
gu	[gou]	guasto [**gou**asto]
qu	[kou]	quarto [**kou**arto]
s	[s] ou [z]	mese [**mézé**] ou [**mésé**] selon région
sc	[ch] devant e, i	sciare [chia**ré**], scelta [**chè**lta]
u	[ou]	uomo [**ou**omo]
z	[ts] ou [dz]	silenzio [si**lèn**tsio], zio [**dzio**]
zz	[tts] ou [ddz]	ragazza [ra**ga**ttsa], pizza [**pi**ddza]

Rappels :

• L'accent de mot, ou *accent tonique*, figure en gras dans la transcription de la prononciation. Lorsque celle-ci n'est plus donnée systématiquement dans le manuel (à partir de l'unité A12) toute syllabe autre que l'avant-dernière portant l'accent tonique est soulignée.

• Lorsque l'accent tonique tombe sur la dernière syllabe d'un mot italien, celle-ci s'écrit toujours avec un accent grave.

© Pocket, Langues pour tous, 1993.
ISBN : 2-266-05395-7

Sommaire

Partie A - Parte A

Indice

Partie B - Parte B

Je suis

français/française.
jeune.
étranger/étrangère.
fatigué/fatiguée.
content/contente.
étonné/étonnée.
vieux/vieille.

désolé/désolée.
malade
   (je suis mal).
intéressé/intéressée
   (ça m'intéresse).

étudiant/étudiante.
médecin.
avocat.

en forme
   (je suis bien).
en avance.
en retard.
en voyage.
en vacances.

Sono [sono]

francese.	[fra-ntchézé]
giovane.	[djované]
straniero/straniera.	[straniéro/a]
stanco/stanca.	[sta-nko]
contento/contenta.	[co-ntè-nto/a]
stupito/stupita.	[stoupito/a]
vecchio/vecchia.	[vèk-kio/a]
dispiaciuto/dispiaciuta.	[dispiatchouto/a]
ammalato/ammalata	[am-malato/a]
(sto male).	[sto malé]
interessato/interessata	[i-ntérès-sato/a]
(mi interessa).	[mi i-ntérès-sa]
studente/studentessa.	
[stoudènté/stoudèntès-sa]	
medico.	[mèdiko]
avvocato.	[av-vokato]
in forma	[in forma]
(sto bene).	[sto béné]
in anticipo.	[a-ntitchipo]
in ritardo.	[ritardo]
in viaggio.	[viaddjo]
in vacanza.	[vaka-ntsa]

■ *Je suis*, **sono**, vient du verbe **essere** [**ès**-séré], *être* :

(io)	[io]	**sono**	[**so**no]	*je suis*
(tu)	[tou]	**sei**	[**sèï**]	*tu es*
(lui/lei)	[louï/léï]	**è**	[**è**]	*il/elle est*
(noi)	[noï]	**siamo**	[**sia**mo]	*nous sommes*
(voi)	[voï]	**siete**	[**sié**té]	*vous êtes*
(loro)	[loro]	**sono**	[**so**no]	*ils/elles sont*

■ **REMARQUES :**

● *Je*, *tu*, *il/elle*... Les pronoms personnels ne sont jamais utilisés en italien, sauf pour marquer une différence entre deux sujets, par exemple :

Io sono italiano, tu sei francese.
Moi, je suis italien, toi, tu es français.

● *Je suis* et *ils sont* ont la même forme, mais il faut toujours accorder l'adjectif qui suit, par exemple :

Sono italiano [italiano]. *Je suis italien.*
Sono italiani [italiani]. *Ils sont italiens.*

■ LA FORME INTERROGATIVE est identique à la forme déclarative ou affirmative ; il n'y a donc pas de différence de construction. On la reconnaît à l'intonation montante : *Tu es étudiant*, **sei studente** ; *es-tu italien ?* **sei italiano ?**

➡ **RETENEZ AUSSI :**

Sei arrabbiato ?   *Es-tu fâché ?*
[sèï ar-**ra**biato]

Siamo lontani da Pisa ?   *Sommes-nous loin de Pise ?*
[lo-**nta**ni da **pi**za]

E' in orario ?   *Est-il à l'heure ?*
[è in o**ra**rio]

Siete in appartamento ?   *Êtes-vous en appartement ?*
[si**é**té in ap-parta**mè**nto]

Sono in macchina ?   *Suis-je en voiture ?*
[**so**no in **ma**k-kina]   *Sont-ils en voiture ?*

A **Que veut dire en italien :**

1. E' stanco.
2. Siete contenti ?
3. Mi dispiace.
4. Sono in ritardo.
5. Siamo giovani.
6. Sei in anticipo.
7. Siete avvocati ?
8. Sono vecchia.
9. Sono amici di Luisa.

B **Comment dites-vous en italien :**

1. *Vous êtes fatigués.*
2. *Nous sommes fâchés.*
3. *Êtes-vous français ?*
4. *Ils sont italiens.*
5. *Je suis vieux.*
6. *Es-tu en vacances ?*
7. *C'est un ami de Louise.*
8. *Je suis content.*
9. *Vous êtes en forme.*
10. *Ils sont étonnés.*

C **Trouvez une autre façon de dire :**

1. Sono interessato.
2. Sono in forma.
3. Sto male.

SOLUTIONS

A 1. *Il est fatigué.*
2. *Êtes-vous contents ?*
3. *Je suis désolé.*
4. *Je suis/ils sont en retard.*
5. *Nous sommes jeunes.*
6. *Tu es en avance.*
7. *Êtes-vous (des) avocats ?*
8. *Je suis vieille.*
9. *Ce sont des amis de Louise.*

B 1. Siete stanchi.
2. Siamo arrabbiati.
3. Siete francesi ?
4. Sono italiani.
5. Sono vecchio.
6. Sei in vacanza ?
7. E' un amico di Luisa.
8. Sono contento.
9. Siete in forma.
10. Sono stupiti.

C 1. Mi interessa.
2. Sto bene.
3. Sono ammalato/a.

J'ai

froid.
chaud.
soif.
faim.
sommeil.

confiance.
peur.
tort.
raison.
Je suis pressé (mot à mot *j'ai hâte*).

l'adresse.
(de) la monnaie.
un fils et une fille.
une grande voiture.
une belle chambre.
un travail intéressant.

deux mois de vacances.
vingt-cinq ans.
beaucoup/peu de temps.

Ho [o]

freddo.	[**frè**d-do]
caldo.	[**kal**do]
sete.	[**sé**té]
fame.	[**fa**mé]
sonno.	[**son**-no]
fiducia.	[fid**ou**tchia]
paura.	[pa**ou**ra]
torto.	[**tor**to]
ragione.	[ra**dj**oné]
fretta.	[**frè**t-ta]
l'indirizzo.	[i-ndi**ri**t-tso]
gli spiccioli.	[lyi **spi**t-tcholi]
un figlio e una figlia.	[oun fi**ly**io è **ou**na fi**ly**ia]
una macchina grande.	[**mak**-kina **gra**-ndé]
una bella camera.	[**bè**l-la **ka**méra]
un lavoro interessante.	[la**vo**ro inté**rès-sa**-nté]
due mesi di vacanza.	[**dou**é **mé**zi di va**ka**-ntsa]
venticinque anni.	[**vé**-nti **tchi**-nkoué **an**-ni]
molto/poco tempo.	[**mo**lto/**po**ko **tè**-mpo]

11

■ **Ho**, *j'ai*, vien du verbe **avere** [avèré], *avoir* :

(io)	[io]	**ho**	[o]	*j'ai*
(tu)	[tou]	**hai**	[aï]	*tu as*
(lui/lei)	[louï/lèï]	**ha**	[a]	*il/elle a*
(noi)	[noï]	**abbiamo**	[ab-biamo]	*nous avons*
(voi)	[voï]	**avete**	[avété]	*vous avez*
(loro)	[loro]	**hanno**	[an-no]	*ils/elles ont*

■ LES ARTICLES INDÉFINIS *UN, UNE* :

un	**uno**	**una/un'**
un ristorante	**uno spettacolo**	**un'amica**
un autobus	**uno zio** [dzio]	**una chiave**

■ **REMARQUES :**

● Le **h** étant toujours muet en italien, il n'est donc pas prononcé ; c'est le cas ici dans **ho**, **hai**, **ha**, **hanno**.

● **Ho**, **hai**, **ha**, **hanno** sont les seuls mots qui commencent par **h** en italien.

● Ne confondez pas **è** (3ᵉ personne du singulier du verbe *être*, **essere**, à l'indicatif présent) et la conjonction *et*, **e**, qui s'écrit sans accent.

● ATTENTION : **è** se prononce [è], **e** se prononce [é].

➡ **RETENEZ AUSSI :**

beaucoup de	**molto**	[molto]
peu de	**poco**	[poko]
assez de	**abbastanza**	[ab-basta-ntsa]

Abbiamo abbastanza soldi ? *Avons-nous assez d'argent ?*

Hai poco tempo. *Tu as peu de temps.*

Avete molto freddo ? *Avez-vous très froid ?*

Hanno molto denaro. *Ils ont beaucoup d'argent.*

A **Que veut dire en français :**

1. Ha fame.
2. Hanno ragione.
3. Abbiamo l'indirizzo ?
4. Ha torto !
5. Hai due figli e due figlie.
6. Ha un lavoro interessante.
7. Avete una macchina molto grande.
8. Ho paura di avere freddo.
9. Avete molto denaro.
10. Ha poco tempo.

B **Comment dites-vous en italien :**

1. *Ils ont une très grande voiture.*
2. *Nous avons sommeil.*
3. *J'ai de la monnaie.*
4. *A-t-il beaucoup de travail ?*
5. *As-tu l'adresse ?*

C **Comment dites-vous en italien :**

1. *travail*	6. *fille*	11. *voiture*
2. *raison*	7. *soif*	12. *confiance*
3. *hâte*	8. *sommeil*	13. *chaud*
4. *tort*	9. *assez*	14. *ami*
5. *chambre*	10. *monnaie*	15. *jour*

SOLUTIONS

A
1. *Il (elle) a faim.*
2. *Ils (elles) ont raison.*
3. *Avons-nous l'adresse ?*
4. *Il (elle) a tort.*
5. *Tu as deux fils et deux filles.*
6. *Il (elle) a un travail intéressant.*
7. *Vous avez une très grande voiture.*
8. *J'ai peur d'avoir froid.*
9. *Vous avez beaucoup d'argent.*
10. *Il (elle) a peu de temps.*

B
1. Hanno una macchina molto grande.
2. Abbiamo sonno.
3. Ho spiccioli.
4. Ha molto lavoro ?
5. Hai l'indirizzo ?

C

1. lavoro	6. figlia	11. macchina
2. ragione	7. sete	12. fiducia
3. fretta	8. sonno	13. caldo
4. torto	9. abbastanza	14. amico
5. camera	10. spiccioli	15. giorno

13

Je ne suis pas

italien/italienne.
content/contente.
prêt/prête.
fatigué/fatiguée.
marié/mariée.

en vacances.
en retard.
à la maison.
au bureau.
à moto.

Je n'ai pas

faim.
sommeil.
beaucoup de temps.
un chien/un chat.
de bagages avec moi.
de ticket/de billet.
le téléphone dans la chambre.
de vélo.
de réservation.
compris. Pouvez-vous répéter ?

Non sono

italiano/italiana.	[italiano/a]
contento/contenta.	[ko-ntè-nto/a]
pronto/pronta.	[pro-nto/a]
stanco/stanca.	[sta-nko/a]
sposato/sposata.	[spozato/a]
in vacanza.	[vaka-ntsa]
in ritardo.	[ritardo]
in casa.	[kaza]
in ufficio.	[ouf-fitcho]
in moto.	[moto]

Non ho

fame.	[famé]
sonno.	[son-no]
molto tempo.	[molto tèmpo]
un cane/un gatto.	[oun kané/gat-to]
bagagli con me.	[bagalyi ko-n mè]
il biglietto.	[bilyièt-to]
il telefono in camera.	[télèfono/kaméra]
la bicicletta.	[bitchiklèt-ta]
la prenotazione.	[prénotatsioné]
capito. Può ripetere ?	[kapito pouo ripétéré]

15

■ LA NÉGATION (*ne ... pas*) s'obtient en italien en mettant tout simplement **non** [no-n] devant le verbe :

non ho, *je n'ai pas*   **non parlo**, *je ne parle pas*
non sono, *je ne suis pas, ils/elles ne sont pas*
non capisco [kapisko], *je ne comprends pas*

■ MASCULIN ET FÉMININ : l'italien a une forme différente selon le genre masculin ou féminin :

Cas général : ● le nom au masculin se termine par **o** :

il gatto [gat-to], *le chat*   **il tempo** [tè-mpo], *le temps*
l'uomo [ouomo], *l'homme*   **il figlio** [filyo], *le fils*

● le nom au féminin se termine par **a** :

la figlia [filyia], *la fille*   **l'amica** [amika], *l'amie*
la casa [kaza], *la maison*   **la bicicletta** [bitchiklèt-ta], *le vélo*

Cas particulier : il existe cependant des mots qui se terminent en **e** et qui peuvent être soit masculins (M.) soit féminins (F.) :

M.	F.
il padre [padré], *le père*	**la madre** [madré], *la mère*
il sole [solé], *le soleil*	**la ragione** [radjoné], *la raison*
il paese [paézé], *le pays*	**la fame** [famé], *la faim*
il direttore [dirèt-toré], *le directeur*	**la sete** [sété], *la soif*

■ LES ARTICLES DÉFINIS: il y a deux articles masculins en italien : **il** et **lo**, et un article féminin, **la** :

il	**lo/l'**	**la/l'**
il tempo, *le temps*	**l'amico**, *l'ami*	**la casa**, *la maison*
il cane, *le chien*	**lo zio** [dzio], *l'oncle*	**la zia** [dzia], *la tante*
il gatto, *le chat*	**lo studente**, *l'étudiant*	**la strada**, *la rue/route*

● **il** s'utilise devant une consonne, **lo** devant **s** suivi d'une consonne et devant **z** ; l'article devient **l'** devant une voyelle.

● **la** s'utilise au féminin dans tous les cas ; **la** devient **l'** devant une voyelle : **l'amica**, *l'amie*.

➡ **RETENEZ AUSSI :**

questo [kouèsto] **hotel**   *cet hôtel*
questo viaggio [viad-djo]   *ce voyage*
questa [kouèsta] **pizza** [piddza] *cette pizza*
questa persona [pèrsona]   *cette personne*

A Que veut dire en italien :

1. Non avete fame ?
2. Non siamo in bicicletta.
3. Questa casa non è bella.
4. Questo paese non è freddo ?
5. Non abbiamo spiccioli.
6. Non è sposato.
7. Non sono pronto.
8. Non ha il biglietto del treno.
9. Non hanno la prenotazione ?
10. Signora, non ha capito ?

B Compléter avec questo **ou** questa :

1. . . . persona è francese.
2. . . . studente non ha il biglietto.
3. . . . paese è caldo.
4. E' bella . . . macchina !

C Les mots sont-ils du féminin ou du masculin ?

1. tempo
2. casa
3. famiglia
4. cane
5. medico
6. ragione
7. sete
8. sonno
9. vacanza
10. hotel
11. prenotazione
12. sole

SOLUTIONS

A
1. *N'avez-vous pas faim ?*
2. *Nous ne sommes pas à vélo.*
3. *Cette maison n'est pas belle.*
4. *Ce pays n'est-il pas froid ?*
5. *Nous n'avons pas de monnaie.*
6. *Il n'est pas marié.*
7. *Je ne suis pas prêt.*
8. *Il n'a pas de billet de train.*
9. *Est-ce qu'ils n'ont pas de réservation ?*
10. *Madame, est-ce que vous n'avez pas compris ?*

B 1. Questa. 2. Questo. 3. Questo. 4. questa.

C 1. M. 2. F. 3. F. 4. M. 5. M. 6. F.
7. F. 8. M. 9. F. 10. M. 11. F. 12. M.

Il y a (+ sg.)

> du vent.
> du/le soleil.
> un client.
> uné fenêtre ouverte.
> une banque au village.

Est-ce qu'il y a...

> une salle de bains ?
> un spectacle nocturne ?
> une pharmacie ouverte ?
> un restaurant ?
> la clef de la chambre ?

Il y a (+ pl.)

> des touristes.
> des restaurants ouverts.
> des courts de tennis.
> des parasols sur la plage.
> des couples étrangers.

Est-ce qu'il y a...

> des toilettes publiques ?
> des journaux français ?
> des bus pour la gare ?
> des magazines français ?
> des excursions sur le lac ?

C'è, ci sono

C'è

vento.	[**vè**-nto]
il sole.	[**so**lé]
un cliente.	[oun kli**é**nté]
una finestra aperta.	[**ou**na fin**è**stra ap**è**rta]
una banca in paese.	[**ba**-nka]

C'è ... ?

il bagno ?	[**ba**gno]
uno spettacolo notturno ?	[spèt-**ta**kolo not-**tu**rno]
una farmacia aperta ?	[farmat**chi**a ap**è**rta]
un ristorante ?	[risto**ra**-nté]
la chiave della camera ?	[kiavé **dè**l-la **ka**méra]

Ci sono

turisti.	[tou**ri**sti]
ristoranti aperti.	
campi da tennis.	[**ka**-mpi da **tè**n-nis]
ombrelloni sulla spiaggia.	[ombrèl-**lo**ni **sou**l-la spiad-dja]
coppie straniere ?	[**ko**p-pié strani**é**ré]

Ci sono ...?

bagni pubblici ?	[**ba**gni **pou**b-blitchi]
giornali francesi ?	[djor**na**li]
autobus per la stazione ?	[**aou**tobous pèr la statsio**né**]
riviste francesi ?	[ri**vi**sté]
escursioni sul lago ?	[eskours**io**ni soul **la**go]

■ *Il y a* se traduit en italien par **c'è** suivi d'un nom au singulier : **c'è una persona**, *il y a une personne*, et **ci sono** suivi d'un pluriel : **ci sono due persone**, *il y a deux personnes*.

■ **REMARQUES :**

● Pour la traduction de *il y a* + unité de temps, voir Unité 15. *Il n'y a pas de*, **non c'è**, **non ci sono** :
Non c'è vento. *Il n'y a pas de vent.*
Non ci sono turisti. *Il n'y a pas de touristes.*

■ LE PLURIEL DES NOMS :

o devient **i** : **il bagno, i bagni**, *le(s) bain(s)/les toilettes*

e devient **i** : **il ristorante, i ristoranti**, *le(s) restaurant(s)*
la chiave, le chiavi, *la/les clé(s)*

a devient **e** : **la rivista, le riviste**, *la/les revue(s)*

Exceptions : **l'autobus, gli autobus**
la città, le città, *la/les ville(s)*
l'uomo, gli uomini, *l'/les homme(s)*
il problema, i problemi
il turista, i turisti

■ PLURIEL DES ARTICLES *le, l', la, les* :

il devient **i**	**lo/l'** devient **gli** [lyi]	**la/l'** devient **le**
i bagni	gli autobus	le chiavi
i giornali	gli spettacoli	le escursioni
i ristoranti	gli zii [dzii]	le amiche

➡ **RETENEZ AUSSI** (la syllabe en gras porte l'accent tonique) :

1 = uno	6 = sei	11 = **un**dici	16 = **se**dici
2 = due	7 = sette	12 = **do**dici	17 = diciassette
3 = tre	8 = otto	13 = **tre**dici	18 = diciotto
4 = quattro	9 = nove	14 = quat**tor**dici	19 = diciannove
5 = cinque	10 = dieci	15 = **quin**dici	20 = venti

A Que veut dire en italien :

1. Ci sono tre cani.
2. Non c'è vento.
3. Ho quattordici anni.
4. Ci sono quattro coppie straniere ?
5. C'è il bagno ?
6. Ci sono dieci ospiti.
7. Ci sono cinque ombrelloni sulla spiaggia.
8. Ci sono sei ristoranti.
9. Abbiamo venti anni.
10. C'è una farmacia aperta ?

B Comment dites-vous en italien :

1. *J'ai dix-sept ans.*
2. *Nous avons huit chambres réservées* (prenotato/a/i/e).
3. *Y a-t-il une banque ouverte ?*
4. *Il y a trois restaurants.*
5. *Il n'y a pas de téléphone dans la chambre.*
6. *Il y a des spectacles nocturnes.*
7. *Y a-t-il des bus pour aller à la gare ?*
8. *Il y a trois magazines français.*

C Mettez au pluriel :

1. E' un turista francese.
2. E' un problema complicato.
3. Roma è una bella città (Roma e Firenze sono...).

SOLUTIONS

A
1. *Il y a trois chiens.*
2. *Il n'y a pas de vent.*
3. *J'ai quatorze ans.*
4. *Y a-t-il quatre couples étrangers ?*
5. *Y a-t-il une salle de bains ?*
6. *Il y a dix clients.*
7. *Il y a cinq parasols sur la plage.*
8. *Il y a six restaurants.*
9. *Nous avons vingt ans.*
10. *Y a-t-il une pharmacie ouverte ?*

B
1. Ho diciassette anni.
2. Abbiamo otto camere prenotate.
3. C'è una banca aperta ?
4. Ci sono tre ristoranti.
5. Non c'è il telefono in camera.
6. Ci sono spettacoli notturni.
7. Ci sono bus per andare alla stazione ?
8. Ci sono tre riviste francesi.

C
1. Sono turisti francesi.
2. Sono problemi complicati.
3. Roma e Firenze sono belle città.

Beaucoup/très

Cette personne est très drôle/amusante.
Il fait très chaud.
Il y a beaucoup de monde.
Il y a beaucoup de touristes (M./F.).

Peu/peu de

Cette excursion est peu chère.
Il y a peu de soleil.
Il y a peu de monde.
Il y a peu de touristes (M./F.).

Trop/trop de

J'ai trop de travail.
Ces lasagnes sont trop chaudes.
Ils ont trop de pâtes.
Il y a trop de touristes (M./F.)

Assez

Il n'y a pas assez de sauce.
Il n'y a pas assez de couples pour danser.

Cet hôtel n'est pas assez luxueux.

Il n'y a pas assez de tagliatelles.

Un peu, un peu de

Il y a un peu de soleil ce matin.
Il y a un peu de pâtes.
Cette année j'ai pris un peu de vacances.

Ces clients sont un peu malpolis.

Molto

Questa persona è molto divertente. [divèrté-nté]
C'è molto caldo/fa molto caldo.
C'è molta gente [1]. [molta djè-nté]
Ci sono molti turisti/molte turiste. [touristi/é]

Poco

Questa escursione [èskoursioné] è poco cara.
C'è poco sole. [solé]
C'è poca gente.
Ci sono pochi [poki] turisti/poche [poké] turiste.

Troppo

Ho troppo lavoro. [trop-po lavoro]
Queste lasagne [lazagné] sono troppo calde.
Hanno troppa pasta. [trop-pa pasta]
Ci sono troppi turisti/troppe turiste.

Abbastanza

Non c'è abbastanza [ab-basta-ntsa] sugo [sougo].
Non ci sono abbastanza coppie per ballare.
                    [kop-pié]   [bal-laré]
Questo albergo non è abbastanza lussuoso.
                    [ab-basta-ntsa lous-ouozo]
Queste tagliatelle non sono abbastanza. [talyiatèl-lé]

Un po' (di)

C'è un po' di sole questa mattina. [mat-tina]
C'è un po' di pasta.
Quest'anno ho preso un po' di vacanze.
                [prèzo oun po di vaka-ntsé]
Questi clienti sono un po' maleducati.
        [kliènti]   [malédoukati]

1. Cf. Remarques, p. 24.

23

■ **Molto**, **poco** et **troppo** s'accordent avec le nom :
molto denaro, *beaucoup d'argent*
molta gente [1], *beaucoup de gens*
pochi amici, *peu d'amis*   **troppe riviste**, *trop de revues*
mais ils sont invariables devant un adjectif :
molto caro, *très cher* **molto interessanti**, *très intéressants*
poco lussuose, *peu luxueuses*   **troppo bella**, *trop belle*

■ **Abbastanza** et **un po'** sont toujours invariables :
abbastanza bella, *assez belle*
abbastanza belli, *assez beaux*
un po' di latte, *un peu de lait*
un po' di persone, *quelques personnes*

■ **REMARQUES :**

La gente est un mot qui s'utilise seulement au singulier :
molta gente, *beaucoup de gens/beaucoup de monde*
Tutti, *tout le monde*   **tutto il mondo**, *le monde entier*

■ PLURIEL des mots terminés en **co**, **go**, **ca** et **ga** :

co devient **chi** [ki] : **poco**, **pochi**, *peu* ; **gioco**, **giochi**, *jeu(x)* ;
buco, **buchi**, *trou(s)*.

△ Attention ! **amico**, **amici** [amitchi], *ami(s)*.

go devient **ghi** [gui] : **lago**, **laghi**, *le lac* ; **lungo**, **lunghi**,
long(s) ; **largo**, **larghi**, *large(s)* ; **fungo**, **funghi**, *champignon(s)*.
ca devient **che** [ké] : **amica**, **amiche**, *amie(s)* ; **banca**,
banche, *banque(s)* ; **poca**, **poche**, *peu (de)* ; **bianca**, **bianche**,
blanche(s).

ga devient **ghe** [gué] : **riga**, **righe**, *rayure(s)* ; **piaga**, **piaghe**,
plaie(s) ; **larga**, **larghe**, *large(s)* ; **fuga**, **fughe**, *fuite(s)*.

➡ **RETENEZ AUSSI :**

Savez-vous faire valoir vos droits en italien ?

Questo è troppo !	*Ça, c'est (c'en est) trop !*
Ne ho abbastanza !	*J'en ai assez !*
Dica un po'	*Dites-moi donc…*
C'è poco da ridere !	*Il n'y a pas de quoi rire !*
C'è poco da urlare !	*Pas de raison de lever la voix !*

1. Cf. Remarques, ci-dessous.

A Que veut dire en français :
1. Questi bambini sono molto gentili.
2. L'hotel è troppo caro per noi.
3. Questi spaghetti sono poco cotti.
4. Ci sono pochi ombrelloni sulla spiaggia.
5. C'è un po' di vento questa mattina.
6. Non c'è abbastanza sole.
7. C'è molto traffico [traf-fiko] a Roma.

B Comment dites-vous en italien :
1. *Il y a trop de monde au restaurant.*
2. *Y a-t-il assez de biscuits pour tous ?*
3. *Il y a beaucoup d'enfants sur la plage.*
4. *Ces tagliatelles sont trop cuites.*
5. *Ces touristes sont très impolis.*
6. *Y a-t-il des excursions pas trop chères ?*

C Trouvez le contraire (ex. : C'è troppo pane/C'è poco pane) :
1. Non c'è molta gente.   4. Ci sono pochi spaghetti.
2. Ho troppe lasagne.   5. Il viaggio è molto lungo.
3. Abbiamo poco tempo.   6. C'é molto vento.

SOLUTIONS

A 1. *Ces enfants sont très gentils.*
2. *L'hôtel est trop cher pour nous.*
3. *Ces spaghettis sont peu cuits.*
4. *Il y a peu de parasols sur la plage.*
5. *Il y a un peu de vent ce matin.*
6. *Il n'y a pas assez de soleil.*
7. *Il y a beaucoup de circulation à Rome.*

B 1. C'è troppa gente al ristorante.
2. Ci sono abbastanza biscotti per tutti ?
3. Ci sono molti bambini sulla spiaggia.
4. Queste tagliatelle sono troppo cotte.
5. Questi turisti sono molto maleducati.
6. Ci sono escursioni non troppo care ?

C 1. Non c'è poca gente.   4. Ci sono molti spaghetti.
2. Non ho abbastanza lasagne.   5. Il viaggio è poco lungo.
3. Abbiamo molto tempo.   6. C'é poco vento.

Où est

le restaurant « Chez Pippo » ?

le marché ?
L'église ?
la gare ?
le kiosque ?

Où sont

les valises ?
les clefs de la maison ?
les voisins ?
les billets de théâtre ?
les livres ?

Où

vas-tu ? va-t-il / allez-vous ? allons-nous ?

habites-tu ? habite-t-il / habitez-vous ?
cours-tu ? court-il / courez-vous ?
vis-tu ? vit-il / vivez-vous ?
se trouve Milan ?
téléphone-t-on ?
achète-t-on des journaux français ?

mange-t-on une bonne pizza ?

achète-t-on les timbres ?
vend-on des cartes postales ?

Dov'è [dové]

il ristorante « da Pippo » ?
[il ristora-nté da **pi**p-po]
il mercato ?   [**mè**r**ka**to]
la chiesa ?   [ki**é**za]
la stazione ?   [statsio**né**]
l'edicola ?   [**é**di**ko**la]

Dove sono [dové **so**no]

le valigie ?   [lé vali**djé**]
le chiavi di casa ?   [lé **ki**avi di **ka**za]
i vicini ?   [vit**ch**ini]
i biglietti del teatro ?   [bilyiè**t**-ti dèl té**a**tro]
i libri ?   [**li**bri]

Dove [dové]

vai ? va ? andate ? andiamo ?
[va**ï** va an**da**té a-ndi**a**mo]
abiti ? abita ? abitate ?   [**a**biti/ta abita**té**]
corri ? corre ? correte ?   [**ko**r-ri/é kor-**ré**té]
vivi ? vive ? vivete ?   [**vi**vi/é vi**vé**té]
si trova Milano ?   [si **tro**va mi**la**no]
si telefona ?   [té**lé**fona]
si comprano giornali francesi ?
[**ko**-mprano djor**na**li fra-nt**ché**zi]
si mangia una buona pizza ?
[**ma**-ndja **ou**na bou**o**na **pi**d-dza]
si comprano i francobolli ? [fra-nko**bo**l-li]
si vendono cartoline ?
[**vè**-ndono kartoli**né**]

27

■ Le verbe *aller*, **andare**, est irrégulier :

vado [**va**do], *je vais*	**andiamo** [a-ndiamo], *nous allons*
vai [vaï], *tu vas*	**andate** [a-nda**té**], *vous allez*
va [va], *il/elle va*	**vanno** [**va**-n-no], *ils/elles vont*

● Il est toujours suivi par la préposition **a** :
vado a casa, *je rentre chez moi* (m. à m. : *je vais à la maison*)
andiamo al mercato, *(nous) allons au marché*
vanno a comprare..., *ils/elles vont acheter...* [1]

■ Les verbes réguliers du 1er groupe se terminent en **-are** ; ceux du 2e groupe se terminent en **-ere** :

comprare, *acheter*	**vedere**, *voir*
compro, *j'achète*	**vedo**, *je vois*
compri, *tu achètes*	**vedi**, *tu vois*
compra, *il/elle achète*	**vede**, *il/elle voit*
compriamo, *nous achetons*	**vediamo**, *nous voyons*
comprate, *vous achetez*	**vedete**, *vous voyez*
comprano, *ils/elles achètent*	**vedono**, *ils/elles voient*

■ *On* se traduit par **si** suivi du verbe à la 3e personne lorsque la phrase a un sens général : **In Francia si parla francese**, *en France on parle français*, ou si le verbe est suivi d'un nom singulier : **Si vede il mare**, *on voit la mer*.

● Le verbe sera à la 3e personne du pluriel s'il est suivi d'un nom pluriel : **Si vedono le montagne**, *on voit les montagnes*.

● En français *on* est souvent utilisé à la place de *nous* : *on mange* = *nous mangeons*. Cela n'est pas possible en italien, car **si** est un sujet impersonnel.

■ **REMARQUE :**

● La forme de politesse en italien s'exprime à la 3e personne du singulier [2] : **Va in vacanza ?** *va-t-il en vacances ?* ou *allez-vous en vacances ?*

---

1. La phonétique n'est désormais plus indiquée systématiquement. Lorsque l'accent ne tombe pas sur l'avant-dernière syllabe, la syllabe accentuée sera soulignée, ce qui correspond aux lettres grasses de la phonétique.
2. Apprenez à reconnaître et à utiliser la forme de politesse. Dans les solutions, vous pourrez trouver les deux formes correspondantes du français.

A Que veut dire en français :

1. Dov'è l'ufficio postale ?
2. Paghiamo in contanti.
3. Dov'è la casa ?
4. Abbiamo le chiavi di casa ?
5. Dove vivono ?
6. Mangiamo una buona pizza !
7. Comprate troppo formaggio.
8. Dove andate ?
9. In questo ristorante si mangia molto bene.

B Comment dites-vous en italien :

1. *Où est le kiosque ?*
2. *Où vivez-vous ?*
3. *Où va ce bus ?*
4. *Nous allons à la plage.*
5. *Vous achetez un peu de pain.*
6. *Je vais à la maison.*
7. *Où allons-nous ?*
8. *Où vend-on des cartes postales ?*

C Conjuguez les verbes :

1. *nous allons*
2. *tu vois*
3. *vous payez*
4. *il vend*
5. *je suis*
6. *ils trouvent*
7. *elle a*
8. *nous arrivons*

SOLUTIONS

A
1. *Où est la poste ?*
2. *Nous payons (au) comptant.*
3. *Où est la maison ?*
4. *Avons-nous les clefs de la maison ?*
5. *Où habitent-ils ?*
6. *(Nous) mangeons une bonne pizza !*
7. *Vous achetez trop de fromage.*
8. *Où allez-vous ?*
9. *Dans ce restaurant on mange très bien.*

B
1. Dov'è l'edicola ?
2. Dove vive/vivete ?
3. Dove va questo autobus ?
4. Andiamo alla spiaggia.
5. Compra/comprate un po' di pane.
6. Vado a casa.
7. Dove andiamo ?
8. Dove si vendono cartoline ?

C
1. andiamo
2. vedi
3. paga/pagate
4. vende
5. sono
6. trovano
7. ha
8. arriviamo

Quand

arrive l'avion ?
commence le spectacle ?

Quelle heure est-il ?

Il est midi.
Il est minuit.
Il est une heure (précise).

Il est

dix heures.
dix heures et quart.
dix heures et demie.
onze heures moins le quart.
onze heures moins cinq.
quatre heures vingt-cinq.
six heures dix.
huit heures moins dix.
dix heures moins vingt.

À quelle heure

ferme le restaurant ?
envoient-ils la lettre ?
pars-tu ?
le dîner est-il servi ?
ouvre le magasin ?

Quando ? - A che ora ?

Quando

arriva l'aereo ?   [aéréo]

comincia lo spettacolo ? [spèt-takolo]

Che ore sono ?

E' mezzogiorno.

E' mezzanotte.

E' l'una (in punto).

Sono le

dieci.

dieci e un quarto.

dieci e mezzo/a.

undici [ounditchi] meno un quarto.

undici meno cinque.

quattro e venticinque.

sei e dieci.

otto meno dieci.

dieci meno venti.

A che ora

chiude il ristorante ?

spediscono [spédiskono] la lettera ?

parti ?

si serve la cena ?

apre il negozio ?   [négotsio]

■ Les verbes réguliers du troisième groupe se terminent en **-ire** :

spedire, *envoyer*

spedisco, *j'envoie*
spedisci, *tu envoies*
spedisce, *il/elle envoie*
spediamo, *nous envoyons*
spedite, *vous envoyez*
spediscono, *ils/elles envoient*

■ **REMARQUE :**

Certains verbes du 3e groupe comme **aprire**, *ouvrir*, **coprire**, *couvrir*, **dormire**, *dormir*, **offrire**, *offrir*, **partire**, *partir*, **servire**, *servir*, **soffrire**, *souffrir*, **divertirsi**, *s'amuser*, **vestire**, *habiller*, se conjuguent de façon différente :

apro, *j'ouvre*	**parto**, *je pars*	**mi diverto**, *je m'amuse...*
apri, *tu ouvres...*	**parti**, *tu pars...*	**ti diverti**, *tu t'amuses...*
apre	**parte**	**si diverte**
apriamo	**partiamo**	**ci divertiamo**
aprite	**partite**	**vi divertite**
aprono	**partono**	**si divertono**

➡ **RETENEZ AUSSI :**

orario di apertura	*horaire d'ouverture*
dalle 9 (nove) alle 18 (diciotto)	*de 9 h à 18 h*
Mi alzo alle 7 (sette).	*Je me lève à 7 h.*
Faccio [1] **colazione alle 8 (otto).**	*Je prends mon petit déjeuner à 8 h.*
Vado a lavorare alle 9 (nove).	*Je vais travailler à 9 h.*
Pranzo all'una.	*Je déjeune à 1 (13) h.*
Torno a casa alle 6 (sei).	*Je rentre à 6 h.*
Ceno alle 8 (otto).	*Je dîne à 8 h.*

1. **Faccio** est la 1re personne du singulier du verbe **fare**, *faire* (cf. unité 9, p. 40).

A Que veut dire en français :

1. Sono le otto e un quarto.
2. A che ora arriva il treno ?
3. Il negozio è aperto dalle nove alle diciotto.
4. Quando partiamo ?
5. Pranziamo a mezzogiorno.
6. Apriamo il libro.
7. Mi lavo.
8. Spedisci questo pacchetto.
9. Apriamo la finestra.
10. Soffro.

B Comment dites-vous en italien :

1. *Il est une heure et demie.*
2. *Quand partez-vous ?*
3. *Je me lave.*
4. *Ouvrez la fenêtre.*
5. *Le film commence à 8 h.*
6. *À quelle heure ferme la poste ?*
7. *À quelle heure mange-t-il ?*
8. *Quand téléphone-t-il ?*
9. *Elle sert le dîner à 21 h.*
10. *Nous rentrons à la maison.*

C Conjuguez les verbes :

1. *je mange*
2. *nous envoyons*
3. *nous allons*
4. *ils finissent*
5. *tu pars*
6. *tu fermes*
7. *ils achètent*
8. *je préfère* (preferire)

SOLUTIONS

A

1. *Il est huit heures et quart.*
2. *À quelle heure arrive le train ?*
3. *Le magasin est ouvert de 9 h à 18 h.*
4. *Quand partons-nous ?*
5. *Nous déjeunons à midi.*
6. *Nous ouvrons le livre.*
7. *Je me lave.*
8. *Tu envoies ce paquet.*
9. *Nous ouvrons la fenêtre.*
10. *Je souffre.*

B

1. *E' l'una e mezza.*
2. *Quando partite ?*
3. *Mi lavo.*
4. *Aprite la finestra.*
5. *Il film comincia alle otto.*
6. *A che ora chiude l'ufficio postale ?*
7. *A che ora mangia ?*
8. *Quando telefona ?*
9. *Serve la cena alle nove.*
10. *Torniamo a casa.*

C

1. mangio
2. spediamo
3. andiamo
4. finiscono
5. parti
6. chiudi
7. comprano
8. preferisco

Combien

ça coûte ?

ça fait ?

consomme cette voiture ?

peut-il/pouvez vous payer ?

Combien de (d')

pain achètes-tu ?

temps as-tu ?

café prépares-tu (*Quelle quantité de*) ?

pâtes manges-tu ?

gens (personnes) viendront demain ?

gens (personnes) connais-tu ici ?

frères ont-ils ?

spaghettis as-tu achetés ?

de journaux achètes-tu chaque jour ?

Quel âge as-tu ? (*Combien d'années as-tu ?*)

sœurs as-tu ?

personnes viennent ce soir ?

magazines français as-tu achetés ?

églises y a-t-il à Rome ?

Quanto

costa ?
viene ?
consuma questa <u>macchina</u> ?
può pagare ?

Quanto

pane compri ?
tempo hai ?
caffé prepari ?

Quanta

pasta mangi ?
gente viene domani ?
gente conosci qui ?

Quanti

fratelli hanno ?
spaghetti hai comprato ?
giornali compri ogni giorno ?
anni hai ?

Quante

sorelle hai ?
persone <u>vengono</u> stasera ?
riviste francesi hai comprato ?
chiese ci sono a Roma ?

■ **Quanto** (*combien* et *combien de*) est invariable devant un verbe :

Quanto costa questa valigia ? *Combien coûte cette valise ?*

Quanto s'accorde en genre (M. ou F.) ou en nombre (sg. ou pl.), comme un adjectif, quand il se trouve devant un nom :

quanto lavoro, *combien de travail*
quanta gente, *combien de monde (de gens, de personnes)*
quanti amici, *combien d'amis*
quante case, *combien de maisons*

■ **REMARQUE :**

Quanto est aussi utilisé dans une exclamation pour exprimer la suprise et pour traduire « *que de... ! »* :

quanta gente !, *que de monde !*

■ Le verbe irrégulier **venire**, *venir* :

vengo	*je viens*
vieni	*tu viens*
viene	*il/elle vient*
veniamo	*nous venons*
venite	*vous venez*
vengono	*ils/elles viennent*

■ **REMARQUE :**

Le verbe **venire** peut être utilisé à la place de **costare** :

quanto costano = **quanto vengono**, *combien coûtent*

─────────────────────────────────

➡ **RETENEZ AUSSI :**

Quanta gente !	*Que de monde !*
Da quanto (tempo) aspetti ?	*Depuis combien de temps attends-tu ?*
Per quanto (tempo) resti ?	*Combien de temps restes-tu ?*
A quanto va questa moto ?	*À quelle vitesse va cette moto ?*

A Que veut dire en français :

1. Quanto costa questo giornale ?
2. Quanti amici vengono stasera ?
3. Quante sorelle hanno ?
4. Da quanto siete in Italia ?
5. E per quanto tempo ?
6. A quanto va questa moto ?
7. Quanti anni hai ?
8. Quanti ristoranti conosci a Firenze ?
9. Quanta gente c'é a casa ?

B Comment dites-vous en italien :

1. *Depuis combien de temps attendent-ils au restaurant ?*
2. *Quel âge avez-vous ?*
3. *Combien de restaurants y a-t-il dans cette ville ?*
4. *Combien pouvez-vous payer ?*
5. *Ce soir nous venons à dix heures.*
6. *Ils viennent à huit heures.*
7. *Venez-vous en voiture ?*
8. *À combien de kilomètres se trouve la plage ?*

C Complétez avec quanto / quanta / quanti / quante :

1. . . . figli ha, signora ?
2. . . . gente !
3. A . . . chilometri è Firenze ?
4. . . . viene questo libro ?

SOLUTIONS

A
1. *Combien coûte ce journal ?*
2. *Combien d'amis viennent ce soir ?*
3. *Combien de sœurs ont-ils ?*
4. *Depuis quand êtes-vous en Italie ?*
5. *Et pour combien de temps ?*
6. *À quelle vitesse va cette moto ?*
7. *Quel âge as-tu ?*
8. *Combien de restaurants connais-tu à Florence ?*
9. *Combien de monde y a-t-il à la maison ?*

B
1. Da quanto aspettano al ristorante ?
2. Quanti anni avete ?
3. Quanti ristoranti ci sono in questa città ?
4. Quanto può/potete pagare ?
5. Questa sera veniamo alle dieci.
6. <u>Ve</u>ngono alle otto.
7. Venite in <u>mac</u>china ?
8. A quanti chi<u>lo</u>metri si trova il mare ?

C
1. Quanti.
2. Quanta.
3. quanti.
4. Quanto.

Comment...

ça va ?

t'appelles-tu ?

fait-on pour aller à...

t'habilles-tu ce soir ?

dit-on *gare* en italien ?

fait-on pour manger les spaghettis ?

sont les Italiens ?

fonctionne cette machine ?

ça se fait que tu es en retard ?

Pourquoi...

ne viens-tu pas ce soir ?

ris-tu ?

pleures-tu ?

n'appelles-tu pas le docteur ?

t'en vas-tu ?

ne réponds-tu pas ?

téléphones-tu ?

rentrez-vous chez vous ?

ne restez-vous pas encore un peu ?

êtes-vous en Italie ?

Come...

stai ? come va ?
ti chiami ?
si fa per andare a...
ti vesti stasera ?
si dice *gare* in italiano ?
si mangiano gli spaghetti ?
sono gli italiani ?
funziona questa macchina ?
mai sei in ritardo ?

Perché...

non vieni stasera ?
ridi ?
piangi ?
non chiami il dottore ?
vai via ?
non rispondi ?
telefoni ?
tornate a casa ?
non restate ancora un po' ?
siete in Italia ?

■ Les verbes irréguliers **stare**, *rester*, *être*, et **fare**, *faire* :

sto	*je reste*	*je suis*	**faccio**	*je fais*
stai	*tu restes*	*tu es*	**fai**	*tu fais*
sta	*il reste*	*il est*	**fa**	*il fait*
stiamo			**facciamo**	
state			**fate**	
stanno			**fanno**	

■ **Come**, *comment, comme*, peut être un pronom interrogatif :

Come stai ? *Comment ça va ?*

ou bien une conjonction :

Grida come un matto, *il crie comme un fou.*

■ Notez l'expression : **come mai** (+ interrogation), *comment se fait-il que... ?*

■ **Perché** veut dire à la fois *pourquoi* et *parce que* :

Perché ridi ? Perché mi diverto.
Pourquoi ris-tu ? Parce que je m'amuse.

➡ **RETENEZ AUSSI** ces emplois du mot **via** :

Abito in via Rossi.	*J'habite rue Rossi.*
Vado via.	*Je m'en vais.*
Corri via !	*Sauve-toi !*
Via di qui !	*Sors/sortons/sortez d'ici !*
gettare/buttare via	*jeter*
dare via	*céder, donner*
Mando la lettera via aerea.	*J'envoie la lettre par avion.*
Stanno via due giorni.	*Ils partent pour deux jours.*

A Que veut dire en français :

1. Stasera stiamo a casa.
2. Perché stanno via un mese ?
3. Stiamo bene, grazie.
4. Come sono le lasagne ?
5. Come si fa per andare alla stazione ?
6. Come mai non andiamo a casa ?
7. Perché siete in Italia ?
8. Perché siamo in vacanza.

B Comment dites-vous en italien :

1. *Elle ne téléphone pas. Pourquoi ?*
2. *Comment s'appelle le chat ?*
3. *Comment dit-on maison en italien ?*
4. *Pourquoi cet enfant pleure-t-il ?*
5. *Pourquoi ne viens-tu pas à la plage ?*
6. *Nous habitons rue Verdi.*
7. *Ne jetons pas ce livre !*
8. *Ils s'en vont.*
9. *Ce soir ils restent à l'hôtel.*

C Compléter avec come, perché, dove, quando, quanto :

1. . . . <u>cost</u>ano questi libri ?
2. . . . andate ?
3. . . . stanno i Sig. Rossi ?
4. . . . non vieni al <u>cin</u>ema ?
5. . . . comincia il film ?
6. . . . persone ci sono nel bar ?

SOLUTIONS

A
1. *Ce soir nous restons à la maison.*
2. *Pourquoi partent-ils pour un mois ?*
3. *Nous allons bien, merci.*
4. *Comment sont les lasagnes ?*
5. *Comment fait-on pour aller à la gare ?*
6. *Comment se fait-il que nous ne rentrons pas à la maison ?*
7. *Pourquoi êtes-vous en Italie ?*
8. *Parce que nous sommes en vacances.*

B
1. Non te<u>lef</u>ona. Perché ?
2. Come si chiama il gatto ?
3. Come si dice *maison* in italiano ?
4. Perché piange questo bambino ?
5. Perché non vieni alla spiaggia ?
6. Abitiamo in via Verdi.
7. Non buttiamo via questo libro !
8. Vanno via.
9. Stasera <u>rest</u>ano all'hotel.

C 1. Quanto 2. Dove 3. Come 4. Perché 5. Quando 6. Quante

Qui

est le monsieur avec la barbe ?

vient à ta fête ?

répond à leur question ?

conduit ta voiture ?

prend notre place ?

êtes-vous ?

est ton ami ?

invites-tu à dîner ce soir ?

Vous vous prenez pour qui ?

Tu te prends pour quoi ?

Qu'est-ce

qu'il désire / que vous désirez ?

que vous cherchez ?

qu'il choisit / que vous choisissez comme entrée ?

que tu manges ?

qu'il a / vous avez dit ? Je ne comprends pas.

que ça veut dire « camera matrimoniale » ?

que tu préfères, du thé ou du café ?

que vous pensez de l'Italie ?

qu'il conseille / que vous conseillez comme vin ?

qu'il se passe dans le monde ?

Chi

è il signore con la barba ?
viene alla tua festa ?
risponde alla loro domanda ?
guida la tua <u>mac</u>china ?
prende il nostro posto ?
siete ?
è il tuo amico ?
inviti a cena ?

pensa di <u>es</u>sere [1] ?
ti credi di <u>es</u>sere [1] ?

Che cosa/Cosa

de<u>s</u>idera ?
cercate ?
sceglie come primo ?
mangi ?
ha detto ? Non capisco.
si<u>gni</u>fica « <u>ca</u>mera matrimoniale » ?
preferisci, té o caffè ?
pensate dell'Italia ?
consiglia come vino ?
succede nel mondo ?

1. Mot à mot : *Qui pensez-vous être ? Qui crois-tu être ?*

■ PRONOMS INTERROGATIFS *qui, que, quoi* :

chi, *qui*, s'utilise pour les personnes :

   A chi pensi ? *À qui penses-tu ?*

che, *que, quoi*, s'utilise pour les choses :

   A che cosa pensi ? *À quoi penses-tu ?*

■ **REMARQUE :**

Che cosa est souvent réduit à **cosa** ou à **che** :

   Cosa dici ? = **che dici ?** *Que dis-tu ?*

Cosa, au sens de *qu'est-ce que ?*, s'élide devant une voyelle :

   Cos'è questa <u>macchina</u> ? *Qu'est-ce que c'est, cette voiture ?*

■ LES POSSESSIFS en italien sont toujours précédés de l'article déterminé, ex. : il mio amico = *mon ami* :

mon	**il mio**	*ma*	**la mia**	*mes*	**i miei**	**le mie**
ton	**il tuo**	*ta*	**la tua**	*tes*	**i tuoi**	**le tue**
son	**il suo**	*sa*	**la sua**	*ses*	**i suoi**	**le sue**
notre	**il nostro**		**la nostra**		**i nostri**	**le nostre**
votre	**il vostro**		**la vostra**		**i vostri**	**le vostre**
leur	**il loro**		**la loro**		**i loro**	**le loro**

■ Le verbe **suc<u>ce</u>dere** *(se passer, arriver)* s'accorde au singulier :

   Che [cosa] succede ? *Qu'est-ce qu'il se passe ?*

ou bien au pluriel :

   Succedono molte cose. *Il se passe beaucoup de choses.*

■ **REMARQUE :**

Ne pas confondre **suc<u>ce</u>dere** avec **passare** *(passer)* :

   Passa col rosso. *Il passe avec le rouge.*

➡ **RETENEZ AUSSI :**

20 : **venti**	27 : **ventisette**	40 : **quaranta**
21 : **ventuno**	28 : **ventotto**	50 : **cinquanta**
22 : **venti<u>due</u>**	29 : **ventinove**	60 : **sessanta**
23 : **venti<u>tre</u>**	30 : **trenta**	70 : **settanta**
24 : **ventiquattro**	31 : **trentuno**	80 : **ottanta**
25 : **venticinque**	32 : **trenta<u>due</u>**	90 : **novanta**
26 : **venti<u>sei</u>**	33 : **trenta<u>tre</u>**	100 : **cento**

A **Que veut dire en français :**

1. Che cosa de<u>s</u>idera ?
2. Ventotto francobolli e trentadue cartoline.
3. A che cosa pensi ?
4. Di chi parlate ?
5. Chi te<u>l</u>efona a Luisa ?
6. Chi risponde alla sua <u>lettera</u> ?
7. Dove sono i miei soldi ?
8. Quanto <u>cost</u>ano le tue scarpe ?
9. Prendi la sua <u>macc</u>hina.
10. Parto con il mio amico.

B **Comment dites-vous en italien :**

1. *Où est ta maison ?*
2. *Qui vient avec moi à la plage ?*
3. *Ce soir, j'invite cinquante-six personnes.*
4. *J'envoie cent invitations (inviti).*
5. *Qu'est-ce qui se passe ?*
6. *Ils viennent avec leurs amis français.*
7. *De quoi parle-t-il ?*
8. *Je passe à neuf heures.*
9. *Il vient avec son amie Franca.*

C **Écrire les chiffres :**

45   29   89   52   17   98

SOLUTIONS

A
1. *Qu'est-ce que vous désirez ?*
2. *Vingt-huit timbres et trente-deux cartes postales.*
3. *À quoi penses-tu ?*
4. *De qui parlez-vous ?*
5. *Qui téléphone à Louise ?*
6. *Qui répond à sa lettre ?*
7. *Où est mon argent ?*
8. *Combien coûtent tes chaussures ?*
9. *Tu prends sa voiture.*
10. *Je pars avec mon ami.*

B
1. Dov'è la tua casa ?
2. Chi viene con me alla spiaggia ?
3. Questa sera invito cinquantasei persone.
4. Spedisco cento inviti.
5. Che cosa succede ?
6. <u>V</u>engono con i loro amici francesi.
7. Di che cosa parla ?
8. Passo alle 9 (nove).
9. Viene con la sua amica Franca.

C
1. quarantacinque
2. ventinove
3. ottantanove
4. cinquantadue
5. diciassette
6. novantotto

Je veux

un café allongé.

partir samedi prochain.

aller dans un hôtel de luxe.

dormir. Je suis très fatigué.

m'en aller d'ici.

rester seul.

Je voudrais

une chambre pour une personne.

des vacances d'un an.

fumer, est-ce possible ? Je dérange ?

parler avec elle/vous.

aller au restaurant ce soir.

rester encore quelques jours.

Voulez-vous

essayer une autre paire de chaussures ?

une chambre (avec vue) sur la mer ?

une couchette ou un wagon-lit ?

un reçu ?

Désirez-vous

un autre café ?

un digestif ?

Voglio

un caffè lungo.
partire sabato prossimo.   [pros-simo]
andare in un hotel di lusso.   [lous-so]
dormire. Sono molto stanco.   [sta-nko]
andare via di qui.   [via di kouì]
stare da solo.

Vorrei

una camera singola.   [si-ngola]
una vacanza di un anno.
fumare. E' permesso ? Disturbo ?
parlare con lei.
andare al ristorante stasera.   [staséra]
restare ancora qualche giorno.
   [rèstaré a-nkora koualké djorno]

Vuole

provare un altro paio di scarpe ?
una camera (con vista) sul mare ?
una cuccetta o un vagone letto ? [kouttchètta]
una ricevuta ?   [ritchévouta]

Desidera [dèzidéra]

un altro caffè ?
un digestivo ?   [didjèstivo]

◼ Le verbe irrégulier **volere**, *vouloir* au présent de l'indicatif :

voglio	[**vo**lyio]	*je veux*
vuoi	[vouoï]	*tu veux*
vuole	[vouolé]	*il/elle veut / vous voulez*
vogliamo	[volyiamo]	*nous voulons*
volete	[volété]	*vous voulez*
<u>**vogliono**</u>	[**vo**lyiono]	*ils/elles veulent*

◼ **REMARQUE :**

Le conditionnel **vorrei**, *je voudrais, je souhaiterais*, exprime un souhait plutôt qu'une volonté :

Vorrei partire. *J'aimerais bien partir.*

◼ **Qualche**, *quelques*, est toujours au singulier en italien, avec pourtant un sens pluriel :

Qualche amico viene. *Quelques amis viennent.*

➡ **RETENEZ AUSSI :**

i giorni della settimana, *les jours de la semaine* :

lunedì	[lounédi]	*lundi*
martedì	[martédi]	*mardi*
mercoledì	[mèrkolédi]	*mercredi*
giovedì	[djovédi]	*jeudi*
venerdì	[vénèrdi]	*vendredi*
sabato	[sabato]	*samedi*
domenica (F.)	[doménika]	*dimanche*

le stagioni	[stadjoni]	*les saisons*
la primavera	[primavéra]	*le printemps*
l'estate (F.)	[èstaté]	*l'été*
l'autunno	[aoutoun-no]	*l'automne*
l'inverno	[invèrno]	*l'hiver*

48

A **Que veut dire en français :**

1. Voglio una camera doppia.
2. <u>Vogliono</u> la vista sul lago.
3. <u>Desidera</u>, signora ?
4. Vorrei parlare con il direttore dell'hotel.
5. Vuole un biglietto di prima o di seconda classe ?
6. Con chi vuole partire in vacanza, Lorenzo ?
7. <u>Vogliono</u> tre <u>camere</u> <u>singole</u>.

B **Comment dites-vous en italien :**

1. *Je voudrais essuyer les chaussures.*
2. *Qui veut venir avec moi au restaurant ?*
3. *Tu veux inviter soixante personnes ce soir ?*
4. *Je voudrais partir à dix heures trente.*
5. *Voulez-vous un apéritif ?*
6. *Je voudrais fumer une cigarette.*
7. *Qu'est-ce que vous désirez, monsieur ?*
8. *Ils veulent s'en aller d'ici.*

C **Mettez au pluriel :**

1. Voglio comprare qualche giornale.
2. Con chi vuoi partire ?

SOLUTIONS

A
1. *Je veux une chambre double.*
2. *Ils veulent la vue sur le lac.*
3. *Vous désirez, madame ?*
4. *Je voudrais parler au directeur de l'hôtel.*
5. *Voulez-vous un billet de première ou de seconde ?*
6. *Avec qui veut-il partir en vacances, Laurent ?*
7. *Ils veulent trois chambres pour une personne.*

B
1. Vorrei provare le tue scarpe.
2. Chi vuole venire con me al ristorante ?
3. Vuoi invitare sessanta persone questa sera ?
4. Vorrei partire alle dieci e mezzo.
5. Vuole/volete un aperitivo ?
6. Vorrei fumare una sigaretta.
7. Che cosa desidera, signora ?
8. Vogliono andare via di qui.

C
1. Vogliamo comprare qualche giornale (invariable sg.).
2. Con chi volete partire ?

49

Je dois - Je peux - Je sais

Je dois

téléphoner en France.

m'en aller, il est tard.

changer 1 000 francs.

partir avant que prévu.

louer une voiture.

Dois-je

payer au comptoir ou à la caisse ?

Je peux... / Est-ce que je peux...

vous demander une faveur ?

fumer ici ?

m'asseoir à votre table ?

payer par carte de crédit ?

payer (au) comptant ?

fermer la fenêtre ?

Je sais

nager.

jouer au poker.

parler un peu l'italien.

faire la cuisine (très bien cuisiner).

reconnaître un bon vin.

que dimanche il y a le match Italie-France.

Devo - Posso - So

Devo

telefonare in Francia.
andare, è tardi.
cambiare mille franchi.
partire prima del previsto.
affittare una <u>mac</u>china.

pagare al banco o alla cassa ?

Posso

<u>chie</u>derle un favore ?
fumare qui ?
sedermi al suo <u>ta</u>volo ?
pagare con la carta di <u>cre</u>dito ?
pagare in contanti ?
<u>chiu</u>dere il finestrino ?

So

nuotare.
giocare a poker.
parlare un po' italiano.
cucinare molto bene.
rico<u>no</u>scere un buon vino !
che do<u>me</u>nica c'é la partita Italia-Francia.

■ *devoir*, **dovere**, *pouvoir*, **potere**, *savoir*, **sapere** sont des verbes irréguliers :

devo, *je dois*	**posso**, *je peux*	**so**, *je sais*
devi, *tu dois*	**puoi**, *tu peux*	**sai**, *tu sais*
deve, *il doit...*	**può**, *il peut...*	**sa**, *il sait...*
dobbiamo	**possiamo**	**sappiamo**
dovete	**potete**	**sapete**
devono	**possono**	**sanno**

■ **REMARQUE :**

Dovere, potere, sapere et **volere** (unité 11) sont des verbes semi-auxiliaires ; le verbe qui les suit est toujours à l'infinitif :

Voglio andare a Roma.	*Je veux aller à Rome.*
Devo pagare ?	*Est-ce que je dois payer ?*
Possiamo parlare ?	*Pouvons-nous parler ?*
So <u>leggere</u>.	*Je sais lire.*

➡ **RETENEZ AUSSI :**

i mesi dell'anno [1]		*les mois de l'année*
gennaio	[djèn-**naï**o]	*janvier*
febbraio	[fèb-**braï**o]	*février*
marzo	[**mar**tso]	*mars*
aprile	[a**pri**lé]	*avril*
maggio	[**mad**-djo]	*mai*
giugno	[**djou**gno]	*juin*
luglio	[**lou**lyio]	*juillet*
agosto	[a**gos**to]	*août*
settembre	[sèt-**tèm**bré]	*septembre*
ottobre	[ot-**to**bré]	*octobre*
novembre	[no**vèm**bré]	*novembre*
dicembre	[dit-**chèm**bré]	*décembre*

É il suo compleanno ?	*C'est son anniversaire ?*
É il suo ono<u>mas</u>tico ?	*C'est votre fête ?*

1. Les noms de mois, en italien comme en français, ne prennent pas de majuscule.

A Que veut dire en français :

1. Non dovete <u>e</u>ssere in ritardo.
2. Potete pagare domani.
3. Devo <u>pre</u>ndere il treno.
4. Sapete cantare ?
5. Sanno come arrivare qui ?
6. Non possiamo <u>pe</u>rdere il treno !
7. Perché non possono venire ?

B Comment dites-vous en italien :

1. *Sais-tu pourquoi il ne vient pas ?*
2. *Nous devons partir demain.*
3. *Ils peuvent venir en mars.*
4. *Je dois prendre cet avion.*
5. *Je ne peux pas payer comptant.*
6. *Ils doivent quitter* (lasciare) *l'hôtel demain.*
7. *Savez-vous où se trouve la gare ?*
8. *Je ne sais pas.*

C À quel jour de l'année correspondent ces fêtes :

1. **Natale** *(Noël)*
2. **San Valentino** *(St-Valentin)*
3. **Festa del Lavoro** *(fête du Travail)*
4. **Ferragosto** *(Assomption)*
5. **Armist<u>i</u>zio** *(Armistice)*
6. **Capodanno** *(Jour de l'An)*

SOLUTIONS

A
1. *Vous ne devez pas être en retard.*
2. *Vous pouvez payer demain !*
3. *Je dois prendre le train.*
4. *Savez-vous chanter ?*
5. *Savent-ils comment arriver jusqu'ici ?*
6. *Nous ne pouvons pas manquer le train.*
7. *Pourquoi ne peuvent-ils venir ?*

B
1. *Sai perché non viene ?*
2. *Dobbiamo partire domani.*
3. *Possono venire in marzo.*
4. *Devo prendere questo aereo.*
5. *Non posso pagare in contanti.*
6. *<u>De</u>vono lasciare l'hotel domani.*
7. *Sa dove si trova la stazione ?*
8. *Non so / Non lo so.*

C
1. 25 dicembre
2. 14 febbraio
3. 1 maggio.
4. 15 agosto
5. 11 novembre
6. 1 gennaio

J'aime (+ sg.)

le café italien.
votre voiture !
lire.
faire de longues promenades.
discuter en italien.

Je n'aime pas (+ sg.)

le mauvais temps.
cette ville si moderne.
la plage bondée.
cette chambre.
voyager seule.

J'aime (+ pl.)

les glaces italiennes.
les films policiers.
ces spaghettis aux palourdes.
ces sandales de couleur.
ces vacances.

Je n'aime pas (+ pl.)

les produits surgelés.
les journaux à scandale.
les animaux dans un restaurant.
les personnes malpolies.
les journées d'hiver.

Mi piace - Mi piacciono

Mi piace

il caffè italiano.
la sua macchina !
leggere.
fare lunghe passeggiate.
discutere in italiano.

Non mi piace

il brutto tempo.
questa città così moderna.
la spiaggia affollata.
questa camera.
viaggiare da sola.

Mi piacciono [piattchono]

i gelati italiani.
i film gialli.
questi spaghetti alle vongole.
questi sandali colorati.
queste vacanze.

Non mi piacciono

i prodotti surgelati.
i giornali scandalistici. [ska-ndalistitchi]
gli animali in un ristorante.
le persone maleducate.
le giornate invernali.

■ **Mi piace** s'utilise avec un verbe à l'infinitif :
   Mi piace leggere. *J'aime lire.*
et devant un nom au singulier :
   Mi piace la pizza. *J'aime la pizza.*
Mi piacciono s'utilise devant les noms au pluriel :
   Mi piacciono i gatti. *J'aime les chats.*

■ **REMARQUE :**

Le verbe **amare**, *aimer*, ne peut pas être utilisé en italien pour exprimer un goût ou une préférence, mais seulement pour indiquer un sentiment amoureux : **ti amo,** *je t'aime.*

■ Les pronoms personnels indirects :

mi telefoni	*tu me téléphones*
ti dico	*je te dis*
gli parlo	*je lui parle* (M.)
le parlo	*je lui parle* (F.)
ci dai	*tu nous donnes*
vi spedisco	*je vous envoie*
chiedo loro	*je leur demande*
gli chiedo [1]	*je leur demande*

➡ **RETENEZ AUSSI :**

Mi devi diecimila lire.	*Tu me dois dix mille lires.*
Vi possiamo telefonare.	*Nous pouvons vous appeler.*
Gli voglio dire la verità.	*Je veux lui/leur dire la vérité.*
Le devo chiedere scusa.	*Je dois lui/vous demander de m'excuser.*
Ti posso accompagnare ?	*Puis-je t'accompagner ?*
Ci vogliono parlare.	*Ils veulent nous parler.*

1. Langage familier.

A Que veut dire en français :

1. Non ci piace guidare questa macchina.
2. Gli piacciono i film d'avventura.
3. Giuseppe e Carla si amano.
4. Ci piace il vostro gatto.
5. Ti dobbiamo molti soldi.
6. Vi piace questo vino ?
7. Non mi piace la pioggia.
8. Gli piacciono le macchine grosse.

B Comment dites-vous en italien :

1. *Vous n'aimez pas rester dans cet hôtel.*
2. *Il aime les romans d'amour.*
3. *Nous n'aimons pas aller à la mer.*
4. *Ils aiment tous les chiens.*
5. *Elle n'aime pas rester à la maison.*
6. *J'aime ce village ancien (antico).*

C Mettre à la forme interro-négative :

(Ex. : Ti piace il mio gatto = Non ti piace il mio gatto ?)

1. Le piace stare in spiaggia.
2. Vi piace andare in aereo.
3. Gli piacciono i cavalli.
4. Vi piacciono queste case.

SOLUTIONS

A
1. *Nous n'aimons pas conduire cette voiture.*
2. *Il aime/ils aiment les films d'aventure.*
3. *Giuseppe et Carla s'aiment.*
4. *Nous aimons votre chat.*
5. *Nous te devons beaucoup d'argent.*
6. *Aimez-vous ce vin ?*
7. *Je n'aime pas la pluie.*
8. *Il aime/ils aiment les grosses voitures.*

B
1. Non vi piace restare in questo hotel.
2. Gli piacciono i romanzi d'amore.
3. Non ci piace andare al mare.
4. Gli piacciono tutti i cani.
5. Non le piace restare a casa.
6. Mi piace questo villaggio antico.

C
1. Non le piace stare in spiaggia ?
2. Non vi piace andare in aereo ?
3. Non gli piacciono i cavalli ?
4. Non vi piacciono queste case ?

Pouvez-vous me dire

votre nom ?

le prix de ce livre ?

quelle heure il est ?

à quelle heure part le train ?

qui est cette belle dame ?

quand nous arrivons à la gare ?

quand finit le spectacle ?

combien coûte cette robe / ce costume ?

à qui est cette belle maison ?

comment on arrive à la cathédrale ?

Pouvez-vous m'indiquer

la direction de l'aéroport ?

la route pour sortir de la ville ?

un bon restaurant ?

un magasin de jouets ?

où se trouve une station-service ?

Pouvez-vous me suggérer

où passer la soirée ?

le nom d'un bon hôtel ?

le nom d'une bonne pâtisserie ?

une alternative à la visite au musée ?

un itinéraire touristique pour aller à Rome ?

Può dirmi

il suo nome ?
il prezzo di questo libro ?
che ore sono ?
a che ora parte il treno ?
chi è quella bella signora ?
quando arriviamo alla stazione ?
quando finisce lo spettacolo ?
quanto costa questo vestito ?
di chi è questa bella casa ?
come si arriva alla cattedrale ?

Può indicarmi

la direzione per l'aeroporto ?
la strada per uscire dalla città ?
un buon ristorante ?
un negozio di giocattoli ?
dove si trova un distributore ?

Può suggerirmi

dove passare la serata ?
il nome di un buon albergo ?
il nome di una buona pasticceria ?
un'alternativa alla visita al museo ?
un itinerario turistico per andare a Roma ?

■ Les pronoms personnels directs :

mi vede,	*il me voit*	**ci vede,**	*il nous voit*
ti vede,	*il te voit*	**vi vede,**	*il vous voit*
lo vede,	*il le voit*	**li vede,**	*il les voit* (M.)
la vede,	*il la voit*	**le vede,**	*il les voit* (F.)

■ **REMARQUE :**

Les pronoms personnels directs ou indirects, quand ils se rapportent à un verbe à l'infinitif, se placent toujours à la suite du nom pour former avec celui-ci un seul mot :

dirlo,	*le dire*	**indicarmi,**	*m'indiquer*
dirgli,	*lui dire*	**vederli/le,**	*les voir*
crederci,	*nous croire*	**raccontarti,**	*te raconter*

● Notez que l'infinitif perd alors le **-e** final.

➡ **RETENEZ AUSSI :**

100	**cento**
101	**centouno**
102	**centodue...**
200	**duecento**
300	**trecento**
1 000	**mille**
1 100	**millecento**
1 993	**millenovecentonovanta<u>tre</u>**
2 000	**duemila**
3 000	**tremila...**
900 000	**novecentomila**
1 000 000	**un milione**
2 000 000	**due milioni...**
999 000 000	**novecentonovantanove milioni**
1 000 000 000	**un miliardo**
2 000 000 000	**due miliardi**

A **Que veut dire en français :**

1. Può parlare più lentamente ?
2. Questo formaggio non voglio mangiarlo, non è fresco !
3. <u>Voglio</u> dirci la verità.
4. Non vuole darmi la ricevuta.
5. La prenotazione, deve confermarla per telefono.
6. L'escursione si deve pagarla <u>subito</u>.
7. L'erba in giardino è troppo alta : devo tagliarla *(couper)*.
8. La loro <u>macchina</u> è sporca, devono lavarla.

B **Comment dites-vous en italien :**

1. *Ils veulent lui raconter leur voyage.*
2. *Quand elle me voit, elle me demande toujours de te saluer.*
3. *Ce livre est très long, mais je dois le lire.*
4. *Parlez-vous français ?*
5. *Pouvez-vous me dire à quelle heure part le train pour Paris ?*
6. *Pouvez-vous m'indiquer un bon restaurant en ville ?*

C **Écrivez en lettres les chiffres suivants :**

1. 1 250   2. 306 000   3. 9 900   4. 4 950 000

SOLUTIONS

A
1. *Pouvez-vous parler plus lentement ?*
2. *Ce fromage, je ne veux pas le manger, il n'est pas frais.*
3. *Ils veulent nous dire la vérité.*
4. *Il ne veut pas me donner le reçu.*
5. *La réservation, il doit/vous devez la confirmer par téléphone.*
6. *L'exursion, on doit la payer tout de suite.*
7. *L'herbe dans le jardin est trop haute, je dois la couper.*
8. *Leur voiture est sale, ils doivent la laver.*

B
1. <u>Voglio</u>no raccontargli il loro <u>viaggio</u>.
2. Quando mi vede, mi chiede sempre di salutarti.
3. Questo libro è molto lungo, ma devo <u>leggerlo</u>.
4. <u>Parla</u>/parlate francese ?
5. Mi può dire a che ora parte il treno per Parigi ?
6. Può/potete indicarmi un buon ristorante in città ?

C
1. milleduecentocinquanta. 2. trecentoseimila. 3. novemila-novecento. 4. quattro milioni novecentocinquantamila.

Hier

je suis allé au cinéma.

Anne est arrivée en voiture.

Paul est parti tôt.

nous sommes allés à la campagne.

Louise et Sylvie sont entrées gratuitement.

avez-vous assisté au spectacle ?

Il y a une demi-heure

ils ont demandé un renseignement.

Paul a dit ce qu'il pense.

Anne a écouté un disque.

tu as eu peur d'être en retard.

vous avez rencontré mes parents.

j'ai déjeuné au bistrot.

L'an dernier / L'année dernière

vous êtes allés aux États-Unis.

nous n'avons pas pris de vacances.

j'ai gagné un concours de peinture.

il/elle a acheté un bel appartement.

vous avez eu du beau temps en août.

nous sommes partis tard.

nous sommes parties tard.

Ieri

sono andato al cinema.   [tchinéma]

Anna è arrivata in <u>mac</u>china.

Paolo è partito presto.

siamo stati in campagna.

Luisa e Silvia sono entrate gratis.

avete assistito allo spet<u>ta</u>colo ?   [spèt-**ta**kolo]

Mezz'ora fa

hanno chiesto un'informazione.

Paolo ha detto quello che pensa.

Anna ha ascoltato un disco.

hai avuto paura di <u>es</u>sere in ritardo.

avete incontrato i miei genitori.

ho pranzato in trattoria.   [trat-toria]

L'anno scorso

siete andati negli Stati Uniti.

non abbiamo fatto vacanze.

ho vinto un concorso di pittura.

ha comprato un bell'appartamento.

avete avuto bel tempo in agosto.

siamo partiti tardi.

siamo partite tardi.

■ LE PASSÉ COMPOSÉ s'utilise pour toute action qui a eu lieu dans un passé récent ou éloigné. Ce temps se forme, comme en français, avec **essere** ou **avere** suivi du participe passé :

andare	**credere**	**finire**
sono andato	ho creduto	hanno finito

■ **REMARQUES :**

● En italien **essere** est son propre auxiliaire : **sono stato,** *j'ai été* et **avere** est auxiliaire d'**avere** : **ho avuto,** *j'ai eu.*

● Comme en français, le participe s'accorde après **essere** :

Lisa è andata...	*Lise est allée...*
Paolo è venuto	*Paul est venu,*

mais pas avec **avere** :

| **Luisa ha comprato...** | *Louise a acheté...* |

● Retenez ces quelques participes irréguliers :

fare, *faire*	➡ **fatto,** *fait*	**venire,** *venir*	➡ **venuto,** *venu*
mettere, *mettre* ➡	**messo,** *mis*	**prendere,** *prendre* ➡	**preso,** *pris*
dire, *dire*	➡ **detto,** *dit*	**aprire,** *ouvrir*	➡ **aperto,** *ouvert*
chiudere, *fermer* ➡	**chiuso,** *fermé*	**dare,** *donner*	➡ **dato,** *donné*
vedere, *voir*	➡ **visto,** *vu*	**stare,** *rester, être*	➡ **stato,** *resté*
vincere, *vaincre* ➡	**vinto,** *vaincu*	**leggere,** *lire*	➡ **letto,** *lu*

● ATTENTION : **Mezz'ora fa,** *il y a une demi-heure.*

L'adverbe de temps invariable **fa,** *il y a, voici* se place après l'unité ou la période de temps considérée :

Due anni fa.	*Voici deux ans.*
Cinquanta anni fa.	*Il y a cinquante ans.*

➡ **RETENEZ AUSSI :**

Ieri ho ben dormito.	*Hier j'ai bien dormi.*
L'altro ieri ho visto un film.	*Avant-hier j'ai vu un film.*
Ieri l'altro ho visto un film.	*Avant-hier j'ai vu un film.*
Due giorni fa sono partito.	*Je suis parti il y a deux jours.*

A Que veut dire en français :

1. Ieri sono stato al <u>ci</u>nema.
2. Avete avuto fortuna (*chance*) con il tempo ?
3. Abbiamo comprato una <u>mac</u>china rossa.
4. Non credo a quello che ha detto.
5. Abbiamo finito il libro.
6. Avete chiesto un'informazione ?
7. Quando siete arrivati ?
8. Perché sei partito in an<u>ti</u>cipo ?
9. Hai fatto buon <u>via</u>ggio ?

B Comment dites-vous en italien :

1. *Combien de glaces as-tu achetées ?*
2. *Comment avez-vous trouvé le dîner ?*
3. *Ils ont acheté une nouvelle moto.*
4. *L'année dernière vous avez réservé en avance.*
5. *L'as-tu vu il y a une demi-heure ?*
6. *Anne est arrivée par avion.*
7. *Ils ont trouvé leurs clefs.*

C Complétez les phrases :

1. Ieri . . . . al cinema.
2. . . . . Paolo due giorni fa.
3. Due giorni fa . . . . . . un libro.
4. Mezz'ora fa . . . . in trat<u>to</u>ria.

SOLUTIONS

A 1. *Hier je suis allé au cinéma.*
2. *Avez-vous eu de la chance avec le temps ?*
3. *Nous avons acheté une voiture rouge.*
4. *Je ne crois pas à ce qu'il a dit.*
5. *Nous avons fini le livre.*
6. *Avez-vous demandé un renseignement ?*
7. *Quand êtes-vous arrivés ?*
8. *Pourquoi es-tu parti en avance ?*
9. *As-tu fait un bon voyage ?*

B 1. Quanti gelati hai comprato ?
2. Come avete trovato la cena ?
3. Hanno comprato una nuova moto.
4. L'anno scorso avete prenotato in an<u>ti</u>cipo.
5. L'hai visto mezz'ora fa ?
6. Anna è arrivata in a<u>e</u>reo.
7. Hanno trovato le loro chiavi.

C 1. sono andato. 2. Ho visto. 3. ho letto. 4. ho pranzato.

65

Aujourd'hui

je suis content/contente.

j'ai envie de marcher.

je vais à Rome.

je viens chez toi.

je peux t'appeler (te téléphoner) à 3 heures.

je dois aller chez le docteur.

je connais (sais) les résultats de l'examen.

je déjeune au restaurant.

je lave la voiture.

Demain

je serai content (car je pars/partirai).

j'aurai le temps.

je vais (j'irai) à Rome.

je viens (je viendrai) chez toi.

je peux (je pourrai) te téléphoner à 3 heures.

je dois (je devrai) aller chez le docteur.

je connaîtrai les résultats de l'examen.

je déjeune (je déjeunerai) au restaurant.

je lave (je laverai) la voiture.

Oggi

sono contento/contenta.

ho voglia di camminare.

vado a Roma.

vengo a casa tua.

posso telefonarti alle 3 (tre).

devo andare dal dottore.

so i risultati dell'esame.

pranzo al ristorante.

lavo la <u>mac</u>china.

Domani

sarò contento (perchè parto/partirò).

avrò tempo.

vado (andrò) a Roma.

vengo (verrò) a casa tua.

posso (potrò) telefonarti alle 3 (tre).

devo (dovrò) andare dal dottore.

saprò i risultati dell'esame.

pranzo (pranzerò) al ristorante.

lavo (laverò) la <u>mac</u>china.

■ LE FUTUR s'utilise très peu en italien dans la langue parlée, en particulier si le futur est indiqué par un adverbe de temps (**domani**, *demain*) ou par une locution telle que :

l'anno prossimo,	*l'an(née) prochain(e)*
fra un'ora,	*dans une heure*
fra 10 minuti,	*dans dix minutes*

Cependant, dans une phrase simple, les auxiliaires **essere**, *être* et **avere**, *avoir,* sont toujours conjugués au futur :

essere	*être*	**avere**	*avoir*
sarò	*je serai*	**avrò**	*j'aurai*
sarai	*tu seras*	**avrai**	*tu auras*
sarà	*il/elle sera*	**avrà**	*il/elle aura*
saremo	*nous serons*	**avremo**	*nous aurons*
sarete	*vous serez*	**avrete**	*vous aurez*
saranno	*ils/elles seront*	**avranno**	*ils/elles auront*

■ **RAPPELS :**

● La troisième personne du singulier sert aussi de forme de politesse : **sarà**, *il/elle sera, vous serez.*

● Lorsque la syllabe finale est accentuée, elle porte un accent : **avrà** [avra], *il/elle aura, vous aurez.*

■ Pour la conjugaison du futur des verbes réguliers et irréguliers, voir le mémento grammatical en fin d'ouvrage.

➡ **RETENEZ AUSSI** la valeur de probabilité du futur en italien :

— **Che ore sono ?**	— *Quelle heure est-il ?*
— **Saranno le 10 (dieci).**	— *Il est probablement (il doit être) 10 h.*
— **Che cosa fa Ugo ?**	— *Que fait Hugues ?*
— **Dormirà ancora.**	— *Il dort probablement encore.*
— **Dov'è Anna ?**	— *Où est Anne ?*
— **Guarderà la televisione.**	— *Elle regarde probablement la télévision.*

A Que veut dire en italien :

1. Partiamo domani mattina.
2. Fra tre giorni è domenica.
3. Ceniamo fra dieci minuti.
4. Arrivano fra due giorni.
5. Sarà mezzanotte.
6. Lucia starà arrivando.
7. Fra due giorni non saremo più qui.
8. Il mese prossimo è l'autunno.

B Comment dites-vous en italien

1. *Ils arriveront le mois prochain.*
2. *Il est probablement 11 h.*
3. *Le mois prochain nous serons en septembre.*
4. *Ils ne viendront pas ce soir.*
5. *En octobre je devrai aller à Rome.*
6. *Où irez-vous en vacances ?*
7. *Mon amie n'est probablement pas encore partie.*

C Traduisez les formes verbales

1. andrò
2. sarete
3. avranno
4. *je saurai*
5. *vous aurez*
6. *tu seras*

SOLUTIONS

A
1. *Nous partirons demain matin.*
2. *Dans trois jours ce sera dimanche.*
3. *Nous dînerons dans dix minutes.*
4. *Ils arriveront dans deux jours.*
5. *Il est aux alentours de (probablement) minuit.*
6. *Lucie est probablement en train d'arriver.*
7. *Dans deux jours nous ne serons plus ici.*
8. *Le mois prochain ce sera l'automne.*

B
1. Arrivano il mese <u>pross</u>imo.
2. Saranno le 11.
3. Il mese <u>pross</u>imo siamo in settembre.
4. Non <u>vengo</u>no questa sera.
5. In ottobre devo andare a Roma.
6. Dove andate in vacanza ?
7. La mia amica non sarà ancora partita.

C
1. *j'irai.*
2. *vous serez.*
3. *ils auront.*
4. saprò.
5. avrete.
6. sarai.

Avant

de partir, nous voulons vous dire au revoir.

de quitter Rome, je dois l'appeler.

7 heures je serai à la maison.

la fin du film j'ai compris le mystère.

ton appel, Louis m'a téléphoné.

Après

le théâtre nous sommes allés chez moi.

ce qui s'est passé, j'ai eu peur.

avoir lu le journal il m'a appelé.

7 heures, tous les magasins sont déjà fermés.

vous, monsieur Rossi !

Pendant

le film j'ai dîné.

la guerre, beaucoup (de gens) ont souffert de la faim.

la leçon, le directeur est venu.

le voyage je n'ai pas mangé.

toute cette période j'ai attendu de ses nouvelles.

Il l'a connue *pendant* la guerre.

deux minutes il y a eu une interruption d'électricité.

dix ans ils ne se sont jamais parlé.

sept mois il n'a pas travaillé.

très longtemps j'ai vécu en Allemagne, puis ici.

toute ma vie je me suis levée à 5 heures.

Il a plu *pendant* deux jours.

Prima

di partire vogliamo salutarvi.
di lasciare Roma, devo telefonargli.
delle 7 (sette) sarò a casa.
della fine del film, ho capito il mistero.
di te, mi ha telefonato Luigi.

Dopo

il teatro siamo andati a casa mia.
quello che è successo, ho avuto paura.
aver letto il giornale, mi ha telefonato.
le 7 (sette), tutti i negozi sono già chiusi.
di lei, signor Rossi !

Durante

il film, ho cenato.
la guerra, molti hanno sofferto la fame.
la lezione, è venuto il direttore.
il viaggio, non ho mangiato.
tutto questo periodo, ho aspettato sue notizie.
L'ha conosciuta **durante** la guerra.

Per

due minuti è mancata la luce.
dieci anni non si sono mai parlati.
sette mesi non ha lavorato.
molto tempo ho vissuto in Germania, poi qui.
tutta la vita mi sono alzata alle 5 (cinque).
Ha piovuto **per** due giorni.

■ LES ADVERBES DE TEMPS **durante** et **per** se traduisent en français par *pendant* :

Per est utilisé quand la période de temps est très définie, ou déterminée par un chiffre :

per tutta la vita,   *pendant toute la vie,*
per sette anni,   *pendant sept ans,*

Durante s'utilise avec un nom :

durante la guerra,   *pendant la guerre,*
durante il film,   *pendant le film,*

et en tout cas quand il s'agit d'une période de temps très limitée.

■ COMMENT DISTINGUER **per** de **durante** ?

Per et **durante** ne sont pas interchangeables : **per** ne s'emploie pas avec un nom seul, **durante** (*pendant*, mais aussi *au cours de*) ne s'emploie pas avec une unité de temps.

➡ **RETENEZ AUSSI :**

a destra	*à droite*
a sinistra	*à gauche*
davanti	*devant*
dentro	*dedans*
di fianco	*à côté*
di fronte	*en face*
dietro	*derrière*
dopo	*après*
dritto/diritto	*(tout) droit*
fuori	*dehors*
sopra/su	*sur/en haut*
sotto/giù	*sous/en bas*
andare dentro = **entrare**	*entrer*
andare fuori = **uscire**	*sortir*
andare giù = **scendere**	*descendre*
andare sopra = **salire**	*monter*

A Que veut dire en français :

1. Il gatto è andato sotto il tavolo.
2. Ho letto un articolo su questo problema.
3. Prima di andare via, saluta la signora !
4. Per la cattedrale, si deve andare a destra e poi a sinistra.
5. La farmacia è di fronte al bar.
6. Durante l'estate fa caldo.
7. Per tre mesi ho lavorato in questa banca.
8. L'Hotel Centrale è prima dell'ufficio postale, dopo il supermercato.

B Comment dites-vous en italien :

1. *Il a travaillé en France pendant toute sa vie.*
2. *L'église est à côté de l'hôtel, en face du cinéma.*
3. *Pour le musée, on doit aller à droite, et après le pont (il ponte) à gauche.*
4. *Après avoir mangé, j'aime prendre un digestif (il digestivo).*
5. *Il a parlé de vous pendant dix minutes.*
6. *Ils sont partis après 4 heures.*

C Complétez les phrases avec un adverbe ou une préposition :

1. Il gatto è ... la porta.
2. ... 9 mesi ha studiato.
3. Questa sera vado ...
4. Il negozi sono aperti ... le 9.

SOLUTIONS

A
1. *Le chat est allé sous la table.*
2. *J'ai lu un article sur ce problème.*
3. *Avant de partir, dis au revoir à la dame !*
4. *Pour la cathédrale, on doit aller à droite et puis à gauche.*
5. *La pharmacie est en face du bar.*
6. *Pendant l'été il fait chaud.*
7. *Pendant trois mois j'ai travaillé dans cette banque.*
8. *L'Hôtel Central est avant la poste, après le supermarché.*

B
1. Per tutta la vita ha lavorato in Francia.
2. La chiesa è di fianco all'hotel, di fronte al cinema.
3. Per il museo si deve andare a destra e dopo il ponte a sinistra.
4. Dopo aver mangiato, mi piace prendere un digestivo.
5. Ha parlato di voi per dieci minuti.
6. Sono partiti dopo le 4 (quattro).

C
1. dietro.   2. Per.   3. fuori.   4. dopo.

73

Depuis

Je le connais *depuis* cinq ans.

Le film est commencé *depuis* vingt minutes.

Je viens ici en vacances *depuis* très longtemps.

Il pleut *depuis* quinze jours.

Ils travaillent *depuis* 4 heures (de l'après-midi).

Dans

Nous partirons *dans* deux jours.

Il va pleuvoir.

   (Traduire : *Il pleut dans peu de temps.*)

Ils arriveront *dans* quelques jours.

Nous nous verrons *dans* un mois ?

Nous dînerons *dans* une demi-heure.

En

J'ai lu ce livre *en* deux jours.

Nous sommes arrivés à la frontière *en* six heures.

Ce travail sera terminé *en* dix jours.

Il a compris *en* un clin d'œil.

Nous ferons l'aller-retour *en* une heure.

Il y a

Je l'ai connu *il y a* un an.

Da

Lo conosco **da** cinque anni.

Il film è cominciato **da** venti minuti.

Vengo qui in vacanza **da** molto tempo.

Piove **da** quindici giorni.

Lavorano **dalle** 4 (del pomeriggio).

Fra

Partiamo **fra** due giorni.

Fra poco piove.

Arrivano **fra** qualche giorno.

Ci vediamo **fra** un mese ?

Ceniamo **fra** mezz'ora.

In

Ho letto questo libro **in** due giorni.

Siamo arrivati alla frontiera **in** sei ore.

Questo lavoro sarà finito **in** dieci giorni.

Ha capito **in** un batter d'occhio (immediatamente).

Andiamo e torniamo **in** un'ora.

Fa

L'ho conosciuto un anno **fa**.

■ **DA, FRA, IN**

● **Da** indique le moment où une action a commencé <u>dans le passé</u> :

Parlo da 10 minuti, *Je parle depuis dix minutes*
                        Ça fait dix minutes que je parle
                        J'ai commencé à parler il y a dix minutes.

● **Fra** donne le moment <u>du futur</u> où l'action commencera ;

　　　　　Lo vedi/vedrai fra dieci minuti.
　　　　　Tu le verras dans dix minutes.

● **In** peut être utilisé dans le présent, le passé ou le futur, pour donner le <u>temps nécessaire pour terminer une action</u> :

　　Finiamo/abbiamo finito/finiremo in due ore.
　　Nous finissons/avons fini/finirons en/dans deux heures.

➡ **RETENEZ AUSSI :**

● *Je vais* (futur immédiat) = **sto per** ou **fra poco** + présent :

　　sto per tornare = **fra poco torno,**　*je vais rentrer*
　　sto per dirti　　 = **fra poco ti dico,**　*je vais te dire*
　　sto per vederlo = **fra poco lo vedo,** *je vais le voir*
　　sto per partire　= **fra poco parto,**　*je vais partir*

● *Venir de* (passé proche) = **avere** + **appena** + participe passé :

　　l'ho appena visto,　　　　*je viens de le voir*
　　ti ho appena detto,　　　　*je viens de te dire*
　　gli ho appena spiegato,　*je viens de lui expliquer*
　　sono appena arrivato,　　*je viens d'arriver*

A Que veut dire en français :

1. Da quanto tempo lo conoscete ?
2. Lo abbiamo frequentato per un anno.
3. Arrivano fra dieci giorni e restano per un mese.
4. Ti hanno aspettato per un'ora davanti al bar.
5. Ho appena parlato con il tuo avvocato.
6. Questo lavoro deve essere finito in un'ora.
6. Vado fuori fra mezz'ora, ma prima devo finire questo articolo.

B Comment dites-vous en italien :

1. *Je viens d'arriver et je reste pendant toutes les vacances.*
2. *Ils font l'aller-retour en vingt-quatre heures.*
3. *Il va pleuvoir.*
4. *Ils ne sont pas venus depuis longtemps.*
5. *Le concert a commencé il y a une demi-heure.*
6. *Nous restons dans cet hôtel pendant toutes nos vacances.*

C Complétez selon l'indication du temps du verbe :

1. Noi (conoscere loro) ...... venti anni (passé ; présent).
2. Noi (cenare) .... dieci minuti (futur ; passé).

SOLUTIONS

A
1. *Depuis combien de temps le connaissez-vous ?*
2. *Nous l'avons fréquenté pendant un an.*
3. *Ils arriveront dans dix jours et resteront pendant un mois.*
4. *Ils t'ont attendu pendant une heure devant le bar.*
5. *Je viens de parler avec ton avocat.*
6. *Ce travail doit être terminé en une heure.*
7. *Je sors dans une demi-heure, mais avant je dois terminer cet article.*

B
1. Sono appena arrivato e resto durante tutte le vacanze.
2. Vanno e tornano in ventiquattro ore.
3. Fra poco piove / Sta per piovere.
4. Non sono venuti da molto tempo.
5. Il concerto è cominciato mezz'ora fa.
6. Restiamo in questo hotel durante tutte le vacanze.

C
1. Li abbiamo conosciuti venti anni fa/Li conosciamo da venti anni.
2. Ceniamo fra dieci minuti/Abbiamo cenato dieci minuti fa.

Je voudrais

un café arrosé (à l'eau-de-vie), s'il vous plaît.

essayer les chaussures (qui sont) en vitrine.

conduire ta voiture, tu me laisses ?

être riche et avoir du temps pour voyager.

J'aimerais

goûter à ce vin spécial.

aller en Chine, mais je n'ai pas le temps.

visiter Florence et Sienne aussi.

être maigre comme Franck.

Je ferais

bien du stop, mais j'ai peur.

tout mon (le) possible pour toi, tu le sais.

mieux de dire ce que je pense.

bien de laver la voiture, mais il pleut.

Je paierais

(au) comptant, mais je n'ai pas de monnaie.

Je dormirais

mais il y a trop de bruit.

Je resterais

encore un jour, mais je n'ai plus d'argent.

Je prendrais

volontiers quelque chose à boire.

Je laisserais

un pourboire, mais je ne sais pas combien.

Vorrei - Mi piacerebbe - Farei...

Vorrei

un caffè corretto grappa, per favore.

provare le scarpe (che sono) in vetrina.

guidare la tua <u>mac</u>china, mi lasci ?

essere ricca e avere tempo per viaggiare.

Mi piacerebbe

assaggiare questo vino speciale.

andare in Cina, ma non ho tempo.

visitare anche Firenze e Siena.

essere magro come Franco.

Farei

l'autostop, ma ho paura.

il pos<u>si</u>bile per te, lo sai.

meglio a dire quello che penso.

lavare la <u>mac</u>china, ma piove.

Pagherei

in contanti, ma non ho <u>spi</u>ccioli.

Dormirei

ma c'è troppo rumore.

Resterei

ancora un giorno, ma non ho più soldi.

Prenderei

volentieri qualcosa da bere.

Lascerei

una mancia, ma non so quanto.

■ LE CONDITIONNEL exprime un souhait, un désir.

Conjugaison des auxiliaires :

ESSERE		AVERE	
sa<u>rei</u>	*je serais*	**a<u>vrei</u>**	*j'aurais*
sa<u>res</u>ti	*tu serais*	**a<u>vres</u>ti**	*tu aurais*
sa<u>rebbe</u>	*il/elle serait*	**a<u>vrebbe</u>**	*il/elle aurait*
sa<u>remmo</u>	*nous serions*	**a<u>vremmo</u>**	*nous aurions*
sa<u>res</u>te	*vous seriez*	**a<u>vres</u>te**	*vous auriez*
sa<u>rebbero</u>	*ils/elles seraient*	**a<u>vrebbero</u>**	*ils/elles auraient*

■ **RAPPELS :**

● La troisième personne du singulier s'emploie aussi pour la forme de politesse.

● Pour la conjugaison du conditionnel des verbes réguliers et irréguliers, voir le mémento grammatical en fin d'ouvrage.

● La syllabe soulignée porte l'accent tonique.

➡ **RETENEZ AUSSI** ces formules utiles :

Vorrei provare
Je voudrais essayer

    il vestito blu.
    la robe bleue/le costume bleu.
    la gonna bianca.
    la jupe blanche.

Potrei vedere
Pourrais-je voir

    il maglione rosa ?
    le pull rose ?
    i pantaloni viola ?
    le pantalon violet ?

Sarebbe possibile provare
Serait-il possible d'essayer

    il costume giallo ?
    le maillot jaune ?
    il golf marrone ?
    le cardigan/gilet marron ?

Mi farebbe vedere
Pourriez-vous me montrer

    la maglietta nera ?
    le T-shirt noir ?
    le scarpe verdi ?
    les chaussures vertes ?

A **Que veut dire en français :**

1. Vorrei essere in forma per la festa.
2. Vorrei provare le scarpe nere che sono in vetrina.
3. Mi farebbe vedere quel tavolo antico ?
4. Mi piacerebbe tornare a casa presto questa sera.
5. Ti piacerebbe accompagnarmi a Roma ?
6. A che ora potrei venire ?
7. Vorrei uscire per comprare uova e zucchero.
8. Prenderei volentieri un bicchiere di latte.

B **Comment dites-vous en italien :**

1. *Je voudrais un journal français.*
2. *Je voudrais un café après le déjeuner.*
3. *J'aimerais appeler Marius.*
4. *Serait-il possible d'essayer le pull vert en vitrine ?*
5. *J'aimerais être à la maison avant demain soir.*
6. *Serait-il possible d'avoir une chambre avec vue sur la mer ?*

C **Trouvez dans la colonne de droite la bonne traduction du verbe français :**

1. *j'aimerais*
2. *pourrais-je... ?*
3. *je dormirais*
4. *je voudrais*

a. potrei... ?
b. dormirei
c. vorrei
d. mi piacerebbe

SOLUTIONS

A
1. *Je voudrais être en forme pour la fête.*
2. *Je voudrais essayer les chaussures noires qui sont en vitrine.*
3. *Pourriez-vous me montrer cette table ancienne ?*
4. *J'aimerais rentrer tôt à la maison ce soir.*
5. *Aimerais-tu m'accompagner à Rome ?*
6. *A quelle heure pourrais-je venir ?*
7. *Je voudrais sortir (pour) acheter des œufs et du sucre.*
8. *Je prendrais volontiers un verre de lait.*

B
1. *Vorrei un giornale francese.*
2. *Vorrei un caffè dopo pranzo.*
3. *Mi piacerebbe chiamare Mario.*
4. *Sarebbe possibile provare il maglione verde in vetrina ?*
5. *Mi piacerebbe essere a casa prima di domani sera.*
6. *Sarebbe possibile avere una camera con vista sul mare ?*

C 1. d.   2. a.   3. b.   4. c.

Je pense - Je crois - Je suppose...

Je pense

que ce serait bien[1] d'aller en Italie.

que Mario aussi voudrait venir avec nous.

que c'est une bonne idée.

que tu as raison.

qu'il vaudrait mieux changer d'hôtel.

Je crois

qu'il pourrait se fâcher.

qu'il devrait prévenir s'il ne vient pas.

qu'il y a une table réservée au nom de Dupont.

que ce que vous proposez est possible, madame.

que je ferais mon possible pour ne pas y aller.

Je suppose

que nous devrions prévenir de notre retard.

que l'hôtel est complet en août.

que l'hôtel a une plage privée.

qu'il ne devrait pas être difficile de téléphoner.

que le petit déjeuner est compris dans le prix.

Je doute

que le col soit ouvert en hiver.

Je crains

que la chambre n'ait pas de salle de bains.

Je ne crois pas

qu'il soit tard pour arriver à cette heure-ci.

Je ne pense pas

que votre chien soit accepté dans le restaurant.

J'ai peur

qu'il ne soit pas possible de réserver pour demain.

1. Traduire : *qu'il serait beau d'aller...*

Penso

che sarebbe bello andare in Italia.
che anche Mario vorrebbe venire con noi.
che sia una buona idea.
che tu abbia ragione.
che sarebbe meglio cambiare hotel.

Credo

che potrebbe arrabbiarsi.
che dovrebbe avvertire se non viene.
che ci sia un tavolo prenotato a nome Dupont.
che quello che propone sia possibile, signora.
che farei il possibile per non andare.

Suppongo

che dovremmo avvertire del nostro ritardo.
che l'hotel sia completo in agosto.
che l'hotel abbia una spiaggia privata.
che non dovrebbe essere difficile telefonare.
che la colazione sia inclusa nel prezzo.

Dubito

che il passo sia aperto in inverno.

Temo

che la camera non abbia il bagno.

Non credo

che sia tardi per arrivare a quest'ora.

Non penso

che il suo cane sia accettato nel ristorante.

Ho paura

che non sia possibile prenotare per domani.

■ LES VERBES d'OPINION **pensare,** *penser,* <u>**credere,**</u> *croire,* **supporre,** *supposer,* etc. sont suivis :

● du subjonctif quand ils expriment une opinion :

Credo che sia tardi.   *Je crois qu'il est tard.*

● du conditionnel quand ils expriment une possibilité matérielle :

Credo che verrebbe con noi.
Je crois qu'il viendrait avec nous.

■ **REMARQUES :**

● LES VERBES DE CRAINTE **temere,** *craindre,* **aver paura,** *avoir peur,* **dubitare,** *douter,* ainsi que **non** <u>**credere,**</u> *ne pas croire,* **non pensare,** *ne pas penser,* etc., sont toujours suivis du subjonctif :

Dubito che sia vero.   *Je doute que ce soit vrai.*
Ho paura che sia vero.   *J'ai peur que ne ce soit vrai.*

■ LA CONJUGAISON DES AUXILIAIRES AU SUBJONCTIF PRÉSENT :

ESSERE		AVERE	
che io sia	*que je sois*	che io abbia	*que j'aie*
che tu sia	*que tu sois*	che tu abbia	*que tu aies*
che lui/lei sia	*qu'il/elle soit*	che lui/lei abbia	*qu'il/elle ait*
che noi siamo	*que nous soyons*	che noi abbiamo	*que nous ayons*
che voi siate	*que vous soyez*	che voi abbiate	*que vous ayez*
che loro <u>siano</u>	*qu'ils/elles soient*	che loro <u>abbiano</u>	*qu'ils/elles aient*

➡ **RETENEZ AUSSI :**

Spero che domani venga.
J'espère que demain il viendra.
E' possibile che abbia dimenticato.
Il est possible qu'il ait oublié.
Non sono sicuro che abbia capito.
Je ne suis pas sûr qu'il ait compris.
Mi dispiace che Carlo sia partito.
Je suis désolé que Charles soit parti.
E' impossibile che abbia mentito.
Il est impossible qu'il ait menti.
E' meglio che vada via.
Il vaut mieux que je m'en aille (que tu t'en ailles/qu'il s'en aille).

A Que veut dire en français :

1. Non sono sicuro che sia troppo tardi per partire.
2. Credo che pagare in Francia sia una buona idea.
3. Ho paura che Paolo non abbia preso le chiavi di casa.
4. E' meglio che partiamo domani mattina presto.
5. Suppongo che l'hotel sia chiuso in gennaio.
6. Immagino che non sia troppo presto per arrivare.
7. Mi dispiace che la cena non ti sia piaciuta.
8. E' giusto che sia tu a pagare.

B Comment dites-vous en italien :

1. *Je ne suis pas sûr qu'il soit en retard.*
2. *Nous avons peur qu'il soit trop jeune pour conduire.*
3. *J'espère que demain le temps ne sera pas mauvais.*
4. *Je ne pense pas que le chat sera accepté à l'hôtel.*
5. *Je pense que vous avez tort.*
6. *Nous sommes sûrs que vous avez réservé hier.*
7. *Je pense que je devrais m'excuser.*
8. *Je crois qu'il aimerait venir avec nous.*

C Trouvez les formes qui se correspondent :

1. è meglio   2. suppongo   3. temo   4. non credo

a. *je suppose*   b. *je ne crois pas*   c. *il vaut mieux*   d. *je crains*

SOLUTIONS

A
1. *Je ne suis pas sûr qu'il soit trop tard pour partir.*
2. *Je pense que payer en France est une bonne idée.*
3. *J'ai peur que Paul n'ait pas pris les clefs de la maison.*
4. *Il vaut mieux que nous partions tôt demain matin.*
5. *Je suppose que l'hôtel est fermé en janvier.*
6. *J'imagine qu'il n'est pas trop tôt pour arriver.*
7. *Je suis désolé que tu n'aies pas aimé le dîner.*
8. *Il est juste que ce soit toi qui paies.*

B
1. Non sono sicuro che sia in ritardo.
2. Abbiamo paura che sia troppo giovane per guidare.
3. Spero che domani il tempo non sia brutto.
4. Non penso che il gatto sia accettato all'hotel.
5. Penso che (lei) abbia torto.
6. Siamo sicuri che abbia prenotato ieri.
7. Penso che dovrei scusarmi.
8. Credo che gli piacerebbe venire con noi.

C 1. c.   2. a.   3. d.   4. b.

85

le voyageur	**il passeggero/il viaggiatore**
les bagages	**i bagagli**
la valise	**la valigia**
passer la douane	**passare la dogana**
déclarer quelque chose	**dichiarare qualcosa**
passer la frontière	**passare la frontiera**
le passeport	**il passaporto**
la carte d'identité	**la carta d'identità**
l'assurance	**l'assicurazione**
l'assurance (pour l'étranger)	**la carta verde**
l'autoroute	**l'autostrada**
le restoroute	**l'autogrill**
la station-service	**la stazione di servizio**
faire le plein	**fare il pieno**
l'essence	**la benzina**
le garage	**il garage/l'officina meccanica**
la panne	**il guasto**
le pneu	**la gomma**
l'auto-stop	**l'autostop**
le péage	**il casello/la barriera**
le camion	**il camion**
la limite de vitesse	**il limite di velocità**
le casque	**il casco**
aller à l'étranger	**andare all'estero**
conduire	**guidare**
garer	**parcheggiare**
dépasser	**sorpassare**
le feu	**il semaforo**
le coffre	**il baule**
le capot	**il cofano**
les phares	**i fari**
le clignotant	**la freccia**
les freins	**i freni**
la roue de secours	**la ruota di scorta**
le dépanneur	**il carro attrezzi**
la fourrière	**il deposito**

A **Que veut dire en français :**

1. Quest'anno siamo andati all'estero.
2. Ci fermiamo all'autogrill per fare il pieno e per mangiare.
3. Quel camion mi ha sorpassato dieci minuti fa.
4. Non ha visto il semaforo.
5. In Italia la benzina è molto cara.
6. Abbiamo un guasto ai freni.
7. Aspettiamo il carro attrezzi.
8. La stazione di servizio è a cinquanta km (chilometri).
9. Quando passiamo la dogana dobbiamo aprire il baule.

B **Comment dites-vous en italien :**

1. *Je ne fais pas d'auto-stop car j'ai peur.*
2. *Le restoroute est à trente-cinq kilomètres.*
3. *Notre voiture est en panne.*
4. *Où y a-t-il un garage ?*
5. *Nos valises sont dans le coffre.*
6. *Ici on ne peut pas doubler (dépasser).*

C **Quel mot italien correspond au français ?**

1. *essence*   2. *feu*   3. *pneu*   4. *péage*

a. casello   b. gomma   c. benzina   d. semaforo

SOLUTIONS

A
1. *Cette année nous sommes allés à l'étranger.*
2. *On s'arrête au restoroute pour faire le plein et pour manger.*
3. *Ce camion m'a dépassé il y a dix minutes.*
4. *Il n'a pas vu le feu.*
5. *En Italie l'essence est très chère.*
6. *Nous avons une panne de freins.*
7. *Nous attendons le dépanneur.*
8. *La station-service est à cinquante kilomètres.*
9. *Quand nous passerons la douane, nous devrons ouvrir le coffre.*

B
1. Non faccio l'autostop perché ho paura.
2. L'autogrill è a trentacinque chilometri.
3. La nostra macchina è guasta.
4. Dove c'è un garage ?
5. Le nostre valigie sono nel baule.
6. Qui non si può sorpassare.

C 1. c.   2. d.   3. b.   4. a.

L'AVION :	L'AEREO :
l'aéroport	**l'aeroporto**
la réservation	**la prenotazione**
la liste d'attente	**la lista d'attesa**
la carte d'embarquement	**la carta d'imbarco**
le vol numéro...	**il volo numero...**
l'hôtesse	**la hostess**
attacher les ceintures	**allacciare le cinture**
interdiction de fumer	**vietato fumare**
décoller	**decollare**
atterrir	**atterrare**
le duty free	**il duty free**
le bagage à main	**il bagaglio a mano**
fumeurs/non-fumeurs	**fumatori/non fumatori**

LE TRAIN :	IL TRENO :
l'horaire	**l'orario ufficiale**
le billet aller/retour	**il biglietto andata e ritorno**
la gare	**la stazione**
le quai	**il binario/il marciapiede**
le compartiment	**lo scompartimento**
la place assise	**il posto a sedere**
le contrôleur	**il controllore**
la couchette	**la cuccetta**
le wagon-lit	**il vagone letto**
le wagon-restaurant	**il vagone ristorante**

L'AUTOCAR, LE CAR :	IL PULLMAN/LA CORRIERA :
le conducteur	**l'autista/il conducente**
la soute	**il bagagliaio**
le siège inclinable	**il sedile inclinabile**

LE BATEAU :	LA NAVE :
le port	**il porto**
la traversée	**la traversata**
l'aéroglisseur	**l'aliscafo**
la croisière	**la crociera**
le pont	**il ponte**
la cabine	**la cabina**

A **Que veut dire en français :**

1. Viaggiamo sempre in aereo.
2. In questo scompartimento è vietato fumare.
3. Vorrei un biglietto di andata e ritorno per Napoli.
4. L'aliscafo parte alle 10 e 30 (dieci, trenta).
5. L'aeroporto è lontano dalla città.
6. Ho prenotato una crociera per due persone.
7. Non si deve parlare all'autista.
8. Prendo un taxi per non arrivare in ritardo all'aeroporto.

B **Comment dites-vous en italien :**

1. *J'ai mis mes bagages dans la soute.*
2. *Je n'ai que deux petites valises.*
3. *J'ai demandé un verre d'eau à l'hôtesse.*
4. *Nous sommes sur la liste d'attente.*
5. *J'ai acheté ces cigarettes en duty-free.*
6. *La traversée a été très tranquille.*
7. *Le compartiment est complet.*

C **Mettez au pluriel :**

1. l'aereo
2. il ponte
3. la crociera
4. la hostess
5. la stazione
6. il binario

SOLUTIONS

A
1. *Nous voyageons toujours par avion.*
2. *Dans ce compartiment il est interdit de fumer.*
3. *Je voudrais un billet aller-retour pour Naples.*
4. *L'aéroglisseur part à dix heures trente.*
5. *L'aéroport est loin de la ville.*
6. *J'ai réservé une croisière pour deux personnes.*
7. *Il est interdit de (m. à m. on ne doit pas) parler au conducteur.*
8. *Je prends un taxi pour ne pas arriver en retard à l'aéroport.*

B
1. Ho messo i miei bagagli nel bagagliaio.
2. Non ho che due piccole valigie.
3. Ho chiesto un bicchiere d'acqua alla hostess.
4. Siamo sulla lista d'attesa.
5. Ho comprato queste sigarette al duty-free.
6. La traversata è stata molto tranquilla.
7. Lo scompartimento è completo.

C
1. gli aerei.
2. i ponti.
3. le crociere.
4. le hostess.
5. le stazioni.
6. i binari.

89

le café	allongé	il caffè	lungo
	serré		ristretto
	déca		hag
	noisette		macchiato
le cappuccino		il cappuccino	
le thé	au citron	il tè	al limone
	au lait		al latte
un verre de lait	froid	un bicchiere di latte	freddo
	chaud		caldo
le sucre		lo zucchero	
le verre d'eau	plate	il bicchiere di acqua	naturale
	minérale		minerale
la limonade		la gazosa	
l'orangeade		l'aranciata	
la citronnade		la limonata	
le jus de fruits	à la pêche	il succo di frutta	alla pesca
	à la poire		alla pera
	à l'abricot		all'albicocca
l'orange pressée		la spremuta d'arancia	
la bière	nationale	la birra	nazionale
	étrangère		estera
le verre de vin	rouge	il bicchiere di vino	rosso
	blanc		bianco
	rosé		rosato
le sandwich	type anglais	il panino	il tramezzino
le croissant		il cornetto/la brioche [briọch]	
la glace		il gelato	
le granité	à la menthe	la granita	alla menta
	au citron		al limone
	au café		al caffè
la chantilly		la panna montata	

A **Que veut dire en français :**

1. Vorrei un caffè ristretto.
2. Questo panino è molto buono.
3. Abbiamo gelati alla frutta.
4. Prendiamo una spremuta d'arancia e un bicchiere di latte.
5. Il caffè lo voglio con due cornetti.
6. Sai che cos'è una granita ?
7. Vuoi un tè al latte o al limone ?

B **Comment dites-vous en italien :**

1. *Je veux un cappuccino et deux croissants.*
2. *Je n'aime pas la bière italienne.*
3. *Nous voulons une glace avec de la chantilly.*
4. *J'ai pris un sandwich au bar.*
5. *Je n'aime pas le sucre dans le café.*
6. *Le soir je prends un déca.*

C **Quel mot italien correspond au français ?**

1. *croissant*
2. *glace*
3. *eau*

a. gelato
b. acqua
c. cornetto

SOLUTIONS

A 1. *Je voudrais un café serré.*
2. *Ce sandwich est très bon.*
3. *Nous avons des glaces aux fruits.*
4. *Nous prendrons (prenons) une orange pressée et un verre de lait.*
5. *Le café je le veux avec deux croissants.*
6. *Tu sais ce que c'est qu'un granité ?*
7. *Veux-tu du thé au lait ou au citron ?*

B 1. Voglio un cappuccino e due cornetti.
2. Non mi piace la birra italiana.
3. Vogliamo un gelato al caffè con panna montata.
4. Ho preso un panino al bar.
5. Non mi piace lo zucchero nel caffè.
6. La sera prendo sempre un hag.

C 1. c.   2. a.   3. b.

la réservation	**la prenotazione**
le garçon/la serveuse	**il cameriere/la cameriera**
le petit déjeuner	**la colazione**
le déjeuner	**il pranzo**
le dîner	**la cena**
le menu	**il menù a prezzo fisso**
la carte	**il menù**
le plat du jour	**il piatto del giorno**
la spécialité de la maison	**la specialità della casa**
l'apéritif	**l'aperitivo**
le digestif	**il digestivo**

LE HORS-D'ŒUVRE	**L'ANTIPASTO**
salade de fruits de mer	**insalata di mare**
charcuterie	**affettati misti**
jambon et melon	**prosciutto e melone**

L'ENTRÉE	**IL PRIMO**
les lasagnes	**le lasagne**
les raviolis	**i ravioli**
les spaghettis	**gli spaghetti**
les pâtes au four	**la pasta al forno**
les pâtes maison	**la pasta fatta in casa**
le risotto	**il risotto**
le minestrone	**il minestrone**

LE PLAT PRINCIPAL	**IL SECONDO**
viande	**carne**
poisson	**pesce**
veau	**vitello**
bœuf	**manzo**
agneau	**agnello**
lapin	**coniglio**
poulet	**pollo**
dinde	**tacchino (il)**

L'ACCOMPAGNEMENT	**IL CONTORNO**
légumes	**verdura (la)**
pommes de terre	**patate**
salade mixte - tomates	**insalata mista - pomodori**

LE FROMAGE	**IL FORMAGGIO**

LE DESSERT	**IL DESSERT**
la glace	**il gelato**
le gâteau/la tarte	**il dolce**
les fruits frais	**la frutta fresca**
la salade de fruits	**la macedonia**

A Que veut dire en français :

1. Abbiamo un tavolo prenotato per quattro.
2. Prendete un aperitivo ?
3. Avete un piatto del giorno ?
4. La pasta è fatta in casa.
5. Come primo prendo le lasagne.
6. Prendete un dessert ?
7. Posso avere la carta dei vini ?

B Comment dites-vous en italien :

1. *Ces cannellonis sont très bons.*
2. *Mon mari n'aime pas le lapin.*
3. *J'aime beaucoup le poisson.*
4. *Avez-vous un menu ?*
5. *Je ne prends pas de hors-d'œuvre.*
6. *Nous avons une table à côté de la fenêtre.*
7. *Voulez-vous des légumes ou des pommes de terre ?*

C Mettez au pluriel :

1. patata
2. pomodoro
3. pesce
4. gelato

SOLUTIONS

A

1. *Nous avons réservé une table pour quatre.*
2. *Prendrez-vous un apéritif ?*
3. *Avez-vous un plat du jour ?*
4. *Les pâtes sont faites maison.*
5. *Comme entrée je prendrai des lasagnes.*
6. *Prenez-vous un dessert ?*
7. *Puis-je avoir la carte des vins ?*

B

1. Questi cannelloni sono molto buoni.
2. A mio marito non piace il coniglio.
3. Mi piace molto il pesce.
4. Avete un menu a prezzo fisso ?
5. Non prendo l'antipasto.
6. Abbiamo una tavola vicino alla finestra.
7. Volete verdura o patate ?

C

1. patate.   2. pomodori.   3. pesci.   4. gelati.

la table	**la tavola** (mise pour manger)
	il tavolo (meuble)
la chaise	**la sedia**
dresser la table	**preparare la tavola**
débarrasser la table	**sparecchiare la tavola**
l'assiette creuse	**il piatto fondo**
l'assiette plate	**il piatto piano**
la petite assiette	**il piattino**
le verre	**il bicchiere**
les couverts	**le posate**
le couteau	**il coltello**
la fourchette	**la forchetta**
la cuiller	**il cucchiaio**
la petite cuiller	**il cucchiaino**
la serviette	**il tovagliolo**
la bouteille	**la bottiglia**
la carafe/le pichet	**la caraffa**
l'huile	**l'olio** (M.)
le vinaigre	**l'aceto**
le sel	**il sale**
le poivre	**il pepe**
la moutarde	**la senape**
le sucre	**lo zucchero**
le citron	**il limone**
la sauce	**la salsa**
le fromage râpé	**il formaggio grattugiato**
le parmesan râpé	**il parmigiano grattugiato**
le cendrier	**il portacenere**
l'eau	**l'acqua**
minérale	**minerale**
non gazeuse, *plate*	**naturale**
Le menu	**il menù**
la carte des vins	**la carta dei vini**
le cure-dents	**lo stuzzicadenti**
l'addition	**il conto**
le garçon/la serveuse	**il cameriere/la cameriera**

A Que veut dire en français :

1. Vorrei il conto, per favore.
2. Posso avere un bicchiere e due forchette ?
3. Mi porta la carta dei vini ?
4. Ho chiesto acqua minerale naturale !
5. Possiamo avere vino rosso in caraffa ?
6. Le posate non sono pulite.
7. Posso avere sale, pepe e senape ?
8. Vorrei un cucchiaino.

B Comment dites-vous en italien :

1. *Avez-vous du vin en pichet ?*
2. *Puis-je avoir l'addition ?*
3. *Avez-vous une autre serviette ?*
4. *Pourrais-je avoir du parmesan râpé pour mes pâtes ?*
5. *Les cure-dents ne sont pas sur la table.*
6. *Il n'y a pas de sel et de poivre.*
7. *Puis-je avoir un cendrier, s'il vous plaît ?*

C Mettez au pluriel :

1. la tavola
2. il piatto
3. la forchetta.
4. la bottiglia
5. il bicchiere
6. la sedia

SOLUTIONS

A

1. *Je voudrais l'addition, s'il vous plaît.*
2. *Puis-je avoir un verre et deux fourchettes ?*
3. *Vous m'apportez la carte des vins ?*
4. *J'ai demandé de l'eau minérale non gazeuse !*
5. *Pouvons-nous avoir du vin rouge en carafe ?*
6. *Les couverts ne sont pas propres.*
7. *Puis-je avoir du sel, du poivre et de la moutarde ?*
8. *Je voudrais une petite cuiller.*

C

1. Avete vino in caraffa ?
2. Posso avere il conto ?
3. Ha un altro tovagliolo ?
4. Posso avere del parmigiano grattugiato per la pasta ?
5. Gli stuzzicadenti non sono sulla tavola.
6. Non ci sono sale e pepe.
7. Posso avere un posacenere, per favore ?

C

1. le tavole.
2. i piatti.
3. le forchette.
4. le bottiglie.
5. i bicchieri.
6. le sedie.

le magasin/la boutique	**il negozio**
le marché	**il mercato**
le grand magasin	**il grande magazzino**
le supermarché	**il supermercato**
le vendeur/la vendeuse	**il commesso/la commessa**
acheter	**comprare**
vendre	**vendere**
le comptoir	**il banco**
la caisse	**la cassa**
faire la queue	**fare la coda**
c'est cher, bon marché	**è caro, buon mercato**
faire ses courses	**fare le spese**
l'offre spéciale	**l'offerta speciale**
les soldes	**i saldi**
payer	**pagare**
l'argent	**i soldi**
l'argent comptant	**i contanti**
la monnaie	**gli spiccioli**
le chèque	**l'assegno**
la carte de crédit	**la carta di credito**
Le marchand de quatre-saisons	**il fruttivendolo**
la boucherie	**la macelleria**
la boulangerie	**la forneria**
la charcuterie	**la salumeria**
l'épicerie	**la drogheria**
la poissonnerie	**la pescheria**
le magasin	**il negozio**
de vêtements	**di vestiti**
de chaussures	**di scarpe**
de meubles	**di mobili**
de cadeaux	**di articoli da regalo**
de souvenirs	**di souvenirs**
la parfumerie	**la profumeria**
la savonnette	**la saponetta**
le dentifrice	**il dentifricio**
la brosse à dents	**lo spazzolino da denti**
le déodorant	**il deodorante**
le shampooing	**lo shampò**
la crème solaire	**la crema solare**

A Que veut dire en français :

1. La profumeria è vicina alla chiesa.
2. C'è un supermercato in questo villaggio ?
3. Non si accettano assegni.
4. La commessa è a vostra disposizione.
5. Qui si vendono mobili antichi.
6. Voglio un dentifricio e due saponette.
7. Questo mobile è caro !
8. In salumeria c'è molta gente.

B Comment dites-vous en italien :

1. *Je cherche un magasin de chaussures.*
2. *J'ai trouvé une carte de crédit.*
3. *Le marché est très bon marché.*
4. *La viande ici est très chère.*
5. *Je n'ai pas assez d'argent pour payer.*
6. *Où est le magasin de cadeaux ?*
7. *Cette vendeuse est très gentille.*

C Où achète-t-on (répondre colonne de droite) ?

1. la carne
2. il pesce
3. il pane
4. le sigarette
5. le medicine

a. forneria
b. tabaccheria
c. farmacia
d. pescheria
e. macelleria

SOLUTIONS

A

1. *La parfumerie est à côté de l'église.*
2. *Y a-t-il un supermarché dans ce village ?*
3. *Les chèques ne sont pas acceptés.*
4. *La vendeuse est à votre disposition.*
5. *Ici on vend des meubles anciens.*
6. *Je voudrais un dentifrice et deux savonnettes.*
7. *Ce meuble est cher !*
8. *Il y a beaucoup de monde dans la charcuterie.*

C

1. Cerco un negozio di scarpe.
2. Ho trovato una carta di credito.
3. Il mercato è molto buon mercato.
4. Qui la carne è molto cara.
5. Non ho abbastanza soldi per pagare.
6. Dov'è il negozio di articoli da regalo ?
7. Questa commessa è molto gentile.

C

1. e.   2. d.   3. a.   4. b.   5. c.

le rayon	**il reparto**
s'habiller	**vestirsi**
se déshabiller	**spogliarsi**
il me va (taille)	**mi va bene**
il me va (style)	**mi sta bene**
il est serré/étroit	**è stretto**
il est court	**è corto**
il est large	**è largo**
il est long	**è lungo**
la taille	**la taglia/la misura**
la pointure	**il <u>nu</u>mero**
les sandales	**i sandali**
les chaussures	**le scarpe**
à hauts talons	**a tacco alto**
à talons plats	**a tacco basso**
les bottes	**gli stivali**
les chaussettes	**le calze**
le collant	**il collant**
les sous-vêtements	**la bianche<u>ri</u>a <u>in</u>tima**
le caleçon/la culotte	**lo slip**
le soutien-gorge	**il reggiseno**
le gilet	**la maglia/la canottiera**
la chemise de nuit	**la camicia da notte**
la robe de chambre	**la vestaglia**
le pyjama	**il pigiama**
les pantoufles	**le pant<u>o</u>fole**
la veste	**la giacca**
la chemise	**la camicia**
la cravate	**la cravatta**
le pantalon	**i pantaloni/i calzoni**
le costume (homme et femme)	**il vestito (uomo e donna)**
la robe	**l'abito/il vestito**
le style	**lo stile**
la jupe	**la gonna**
le T-shirt	**la maglietta**
le cardigan, le gilet	**il golf**
le pull	**il maglione**

A Que veut dire en français :

1. Mi stanno bene queste scarpe ?
2. Preferisco gli stivali col tacco basso.
3. C'è un reparto di biancheria intima ?
4. Voglio regalare un abito e una cravatta a mio marito.
5. Ha una taglia di più per queste pantofole ?
6. Questi pantaloni e questo golf non sono dello stesso colore.
7. Mi piace questo vestito rosa.

B Comment dites-vous en italien :

1. *Je cherche des collants noirs taille trois.*
2. *Cette veste est trop longue.*
3. *Ces chaussures sont petites, ce n'est pas ma pointure.*
4. *Je n'ai pas besoin (bisogno) d'une robe de chambre !*
5. *Cette robe jaune te va très bien.*
6. *Ces sandales sont étroites.*
7. *Ce n'est pas ma taille.*

C Mettez au pluriel ou au singulier selon le cas :

1. le scarpe
2. la maglietta
3. il golf
4. i tacchi
5. la giacca
6. le calze

SOLUTIONS

A

1. *Est-ce qu'elles me vont, ces chaussures ?*
2. *Je préfère les bottes à talons plats.*
3. *Y a-t-il un rayon de lingerie / sous vêtements ?*
4. *Je veux offrir un costume et une cravate à mon mari.*
5. *Avez-vous une pointure de plus pour ces pantoufles ?*
6. *Ce pantalon et ce cardigan ne sont pas de la même couleur.*
7. *J'aime cette robe rose.*

B

1. Cerco dei collant neri terza misura.
2. Questa giacca è troppo lunga.
3. Queste scarpe sono corte, non sono della mia misura.
4. Non ho bisogno di una vestaglia.
5. Questo vestito giallo ti sta molto bene.
6. Questi sandali sono stretti.
7. Non è la mia misura.

C

1. la scarpa	3. i golf	5. le giacche
2. le magliette	4. il tacco	6. la calza

essayer (habits, chaussures)	**provare**
griffé	**firmato**
l'imperméable	**l'impermeabile**
le manteau	**il cappotto**
la fourrure	**la pelliccia**
doublé	**foderato**
la laine	**la lana**
le cuir	**il cuoio**
le coton	**il cotone**
le lin	**il lino**
la fibre synthétique	**la fibra sintetica**
la (pure) soie	**la seta (pura)**
le carré	**il foulard**
l'écharpe	**la sciarpa**
le mouchoir	**il fazzoletto**
le chapeau	**il cappello**
le parapluie	**l'ombrello**
le sac à main	**la borsa**
les gants	**i guanti**
le portefeuille	**il portafoglio**
lourd	**pesante**
léger	**leggero**
chaud	**caldo**
souple, doux	**morbido**
rêche, rugueux	**ruvido**
fait à la main	**fatto a mano**
le tissu	**il tessuto**
la bijouterie	**la gioielleria**
le bijou	**il gioiello**
l'or	**l'oro**
l'argent	**l'argento**
la pierre précieuse	**la pietra preziosa**
les bijoux fantaisie	**la bigiotteria**

A Que veut dire en français :

1. Non mi piacciono le fibre sintetiche.
2. Questa lana è molto calda.
3. Il cappotto che ho provato è molto stretto.
4. Vorrei provare l'impermeabile in vetrina.
5. Queste scarpe sono in vero cuoio.
6. Il gof è fatto a mano.
7. Non porto mai il cappello.

B Comment dites-vous en italien :

1. *Nous avons acheté douze mouchoirs.*
2. *J'ai trouvé un portefeuille et des gants pour mes parents.*
3. *Le lin est la matière que je préfère.*
4. *Cet imperméable est doublé de fourrure.*
5. *Ce foulard de soie est très beau.*
6. *Dans cette ville il y a beaucoup de bijouteries.*
7. *J'ai perdu mon parapluie vert à Rome.*

C Trouvez le mot italien correspondant au français :

1. *parapluie*
2. *lourd*
3. *cuir*
4. *rêche*

a. pesante
b. cuoio
c. ruvido
d. ombrello

SOLUTIONS

A
1. *Je n'aime pas les fibres synthétiques.*
2. *Cette laine est très chaude.*
3. *Le manteau que j'ai essayé est trop serré.*
4. *Je voudrais essayer l'imperméable en vitrine.*
5. *Ces chaussures sont en vrai cuir.*
6. *Ce cardigan est fait à la main.*
7. *Je ne porte jamais de chapeau.*

A
1. Abbiamo comprato dodici fazzoletti.
2. Ho trovato un portafogli e dei guanti per i miei genitori.
3. Il lino è il tessuto che preferisco.
4. Questo impermeabile è foderato di pelliccia.
5. Questo foulard di seta è molto bello.
6. In questa città ci sono tante gioiellerie.
7. Ho perso il mio ombrello verde a Roma.

C 1. d.   2. a.   3. b.   4. c.

la réception	**la reception**
complet	**completo**
chambres libres	**camere disponibili**
la réservation	**la prenotazione**
les arrhes	**la caparra**
le logement	**la sistemazione**
la réclamation	**il reclamo**
une chambre	**una camera**
pour une personne	**singola**
double	**matrimoniale**
à 2, 3, 4 lits	**a 2, 3, 4 letti**
pour une nuit	**per una notte**
pour deux personnes	**per due persone**
avec lavabo	**con lavabo**
avec douche	**con doccia**
avec salle de bains	**con bagno**
la vue	**la vista**
le balcon	**il balcone**
la fenêtre	**la finestra**
sombre	**buio**
lumineux	**luminoso**
le téléphone dans la chambre	**il telefono in camera**
le minibar (frigo)	**il minibar**
le parking	**il parcheggio**
l'ascenseur	**l'ascensore**
réveiller	**svegliare**
appeler	**chiamare**
le petit déjeuner	**la colazione**
dans la salle	**in sala**
dans la chambre	**in camera**
quitter l'hôtel/partir	**lasciare l'hotel/partire**
le pourboire	**la mancia**
... ne marche pas !	**... non funziona !**
silencieux/calme	**silenzioso**
bruyant	**rumoroso**

A Que veut dire en français :

1. L'hotel è completo in estate.
2. Ho chiesto una camera doppia con bagno.
3. Ho avuto una camera molto rumorosa.
4. La televisione in camera non è fondamentale.
5. Possiamo avere la colazione in camera ?
6. Dobbiamo lasciare una mancia ?
7. Vogliamo una camera per una notte.

B Comment dites-vous en italien :

1. *Devons-nous verser des arrhes ?*
2. *Est-il possible d'avoir une chambre avec balcon ?*
3. *Acceptez-vous les animaux dans votre hôtel ?*
4. *Est-ce qu'il y a un parking ?*
5. *La douche ne marche pas !*
6. *Pouvez-vous me réveiller à 7 h demain matin ?*

C Mettez au pluriel :

1. Voglio una camera singola
2. Desidero un caffè e una spremuta d'arancia per colazione.
3. Ho una camera disponibile per una notte.

SOLUTIONS

A
1. *L'hôtel est complet en été.*
2. *J'ai demandé une chambre double avec salle de bains.*
3. *J'ai eu une chambre très bruyante.*
4. *La télévision dans la chambre n'est pas fondamentale.*
5. *Pouvons-nous avoir le petit déjeuner dans la chambre ?*
6. *Devons-nous laisser un pourboire ?*
7. *Nous voulons une chambre pour une nuit.*

B
1. Dobbiamo versare una caparra ?
2. E' possibile avere una camera con balcone ?
3. Nel vostro hotel, accettate gli animali ?
4. C'è un parcheggio ?
5. La doccia non funziona !
6. Può svegliarmi alle 7 domani mattina ?

C
1. Vogliamo due camere singole.
2. Desideriamo due caffè e due spremute d'arancia per colazione.
3. Abbiamo due camere disponibili per due notti.

louer	**affittare**
en location	**in affitto**
meublé	**ammobiliato**
le pavillon/la villa	**la villa**
l'appartement	**l'appartamento**
la chambre/la pièce	**la stanza/la camera**
la cuisine	**la cucina**
la salle de bains	**il bagno**
le couloir	**il corridoio**
le débarras	**il ripostiglio/lo sgabuzzino**
le séjour	**il soggiorno**
la salle à manger	**la sala da pranzo**
le jardin	**il giardino**
le grenier	**la soffitta**
la cave	**la cantina**
la terrasse	**la terrazza**
le balcon	**il balcone**
les meubles	**i mobili**
le tapis	**il tappeto**
le lit	**il letto**
l'armoire	**l'armadio**
le divan	**il divano**
le fauteuil	**la poltrona**
la table	**il tavolo**
la chaise	**la sedia**
le bureau	**lo scrittoio/la scrivania**
la gazinière	**la cucina a gas**
l'électricité	**l'elettricità**
électrique	**elettrico**
le frigo	**il frigorifero**
le lave-linge	**la lavatrice**
le lave-vaisselle	**la lavastoviglie**
l'évier	**il lavello/il lavandino**
la poubelle	**la pattumiera**

A Que veut dire en français :

1. Cerchiamo un tavolo e quattro sedie.
2. Per la cucina o per la sala da pranzo ?
3. I mobili sono molto cari !
4. Il bagno è senza finestra !
5. Vorrei affittare un appartamento per luglio.
6. Il ripostiglio è importante.
7. C'è una cantina in questa casa ?
8. Vogliamo comprare un divano.

B Comment dites-vous en italien :

1. *La cuisinière est électrique ou à gaz ?*
2. *Le lit est trop petit.*
3. *Le jardin n'est pas très grand, mais il est très beau.*
4. *Le couloir est très long et sombre.*
5. *Cette maison a une cave et un grenier.*
6. *Nous voulons louer pour trois ans.*

C Où se trouve :

1. il divano ?
2. il lavello ?
3. il tavolo ?
4. il letto ?

a. nella cucina
b. nella camera
c. nel soggiorno
d. nella sala da pranzo

SOLUTIONS

A
1. *Nous cherchons une table et quatre chaises.*
2. *Pour la cuisine ou pour la salle à manger ?*
3. *Les meubles sont trop chers !*
4. *La salle de bains n'a pas de (m. à m. est sans) fenêtre.*
5. *Je voudrais louer un appartement pour juillet.*
6. *Le débarras est important.*
7. *Y a-t-il une cave dans cette maison ?*
8. *Nous voulons acheter un divan.*

B
1. La cucina è a gas o elettrica ?
2. Il letto è troppo piccolo.
3. Il giardino non è molto grande, ma è molto bello.
4. Il corridoio è molto lungo e buio.
5. Questa casa ha una cantina e una soffitta.
6. Vogliamo affittare per tre anni.

C 1. c.   2. a.   3. d.   4. b.

le village	il paese/il villaggio
la maison	la casa
l'appartement	l'appartamento
l'immeuble	l'immobile/il condominio
l'adresse	l'indirizzo
la route	la strada
la rue	la via
l'avenue	il corso
le boulevard	il viale
la ruelle	il vicolo
le centre-ville	il centro città
la banlieue	la periferia
le quartier	il quartiere
la mairie	il municipio
l'église	la chiesa
l'école	la scuola
la gendarmerie	la stazione dei carabinieri
la poste	l'ufficio postale
la gare	la stazione
l'arrêt de bus	la fermata dell'autobus
le syndicat d'initiative	l'ufficio informazioni/pro loco
la station-service (en ville)	il distributore
le passage clouté	il passaggio pedonale
la zone piétonnière	la zona pedonale
le carrefour	l'incrocio
le rond-point	la rotonda
le sens unique	il senso unico
l'agent	il vigile
l'amende	la multa
l'interdiction de stationner	il divieto di sosta
le parking payant	il parcheggio a pagamento
zone d'enlèvement	zona rimozione
la fourrière	il deposito
les objets retrouvés	l'ufficio oggetti smarriti
les pompiers	i pompieri
la grève des transports	lo sciopero dei trasporti

A Que veut dire en français :

1. In questo paese c'è una piccola scuola.
2. La stazione è vicino alla fermata dell'autobus.
3. Ho preso una multa e la macchina è al deposito.
4. Devo andare all'ufficio oggetti smarriti perché ho perso le chiavi.
5. Il centro città è zona pedonale.
6. Hai l'indirizzo esatto di Luisa ?
7. Abita in via Roma, 4, in periferia.

B Comment dites-vous en italien :

1. *Où est la gendarmerie ?*
2. *Nous habitons boulevard de Rome, au centre-ville.*
3. *Je cherche le syndicat d'initiative.*
4. *La mairie est après le feu, à droite.*
5. *C'est un sens interdit, on doit passer par le centre.*
6. *L'agent est passé et j'ai eu une amende pour stationnement interdit.*

C Complétez :

1. la ... dei carabinieri
2. il ... città
3. la ... rimozione
4. la fermata dell' ...

SOLUTIONS

A
1. *Dans ce village il y a une petite école.*
2. *La gare est à côté de l'arrêt du bus.*
3. *J'ai eu une amende et la voiture est à la fourrière.*
4. *Je dois aller au bureau des objets trouvés car j'ai perdu mes clés.*
5. *Le centre-ville est zone piétonnière.*
6. *As-tu l'adresse exacte de Louise ?*
7. *Elle habite 4, rue de Rome, en banlieue.*

B
1. Dov'è la stazione dei carabinieri ?
2. Abitiamo in viale Roma, in centro.
3. Cerco la pro-loco.
4. Il municipio è dopo il semaforo, a destra.
5. E' un senso unico, dobbiamo passare per il centro.
6. Il vigile è passato e mi ha messo la multa per divieto di sosta.

C 1. stazione.   2. centro.   3. zona.   4. autobus.

les parents	**i genitori**
le père/papa	**il padre/papà/babbo**
la mère/maman	**la madre/mamma**
le frère	**il fratello**
la sœur	**la sorella**
les parents/la famille	**i parenti**
l'oncle	**lo zio**
la tante	**la zia (zio + zia = gli zii)**
le cousin/la cousine	**il cugino/la cugina**
le neveu/le petit-fils	**il nipote**
la nièce/la petite-fille	**la nipote**
le grand-père	**il nonno**
la grand-mère	**la nonna**
les grands-parents	**i nonni**
le beau-père/la belle-mère	**il suocero/la suocera**
les beaux-parents	**i suoceri**
le beau-frère/la belle-sœur	**il cognato/la cognata**
le gendre	**il genero**
la belle-fille	**la nuora**
la fête de famille	**la festa di famiglia**
la naissance	**la nascita**
le fils/la fille	**il figlio/la figlia**
le bébé/l'enfant	**il bambino/la bambina**
une famille nombreuse	**una famiglia numerosa**
les fiançailles	**il fidanzamento**
les fiancés	**i fidanzati**
le mariage	**il matrimonio**
l'enterrement/les funérailles	**il funerale**
marié/e	**sposato/a**
veuf/veuve	**vedovo/a**
divorcé/e	**divorziato/a**
fiancé/e	**fidanzato/a**
le prénom	**il nome**
le nom de famille	**il cognome**
le nom de jeune fille	**il nome da ragazza**

A **Que veut dire en français :**

1. I miei genitori sono italiani.
2. Sua sorella è sposata.
3. E' il funerale di sua nonna.
4. La loro nuora è straniera.
5. I nonni raccontano storie ai loro nipoti.
6. Domani c'è una grande festa di famiglia.
7. Vado in vacanza con i miei cugini.

A **Comment dites-vous en italien :**

1. *Ils ont fait une grande fête de famille pour le mariage.*
2. *Ma tante est veuve.*
3. *Le nom de jeune fille de ma mère est...*
4. *Mes cousins sont comme des frères pour moi.*
5. *Mes beaux-parents ne sont pas italiens.*
6. *J'ai une famille très nombreuse.*
7. *Nous avons trois enfants : deux filles et un garçon.*

C **Mettez au pluriel :**

1. lo zio
2. il funerale
3. la nonna
4. il cugino.

SOLUTIONS

A 1. *Mes parents sont italiens.*
2. *Sa sœur est mariée.*
3. *C'est l'enterrement de sa grand-mère.*
4. *Leur belle-fille est étrangère.*
5. *Les grands-parents racontent des histoires à leurs petits-enfants.*
6. *Demain il y a une grande fête de famille.*
7. *Je vais en vacances avec mes cousins.*

B 1. Hanno fatto una grande festa di famiglia per il matrimonio.
2. Mia zia à vedova.
3. Il nome da ragazza di mia madre è...
4. I miei cugini sono come fratelli per me.
5. I miei suoceri non sono italiani.
6. Ho una famiglia molto numerosa.
7. Abbiamo tre figli : due bambine e un bambino.

C 1. gli zii.   2. i funerali.   3. le nonne.   4. i cugini.

la télé couleurs	**la televisione a colori**
la télé en noir et blanc	**la televisione bianco e nero**
le magnétoscope	**il videoregistratore**
enregistrer une émission	**registrare una trasmissione**
allumer...	**accendere...**
éteindre...	**spegnere...**
regarder la télévision	**guardare la televisione**
une émission sur...	**una trasmissione su...**
le programme	**il programma**
l'écran	**lo schermo**
le présentateur	**il presentatore**
l'hôtesse	**la valletta**
les téléspectateurs	**i telespettatori**
les informations (télévisées)	**il telegiornale**
la nouvelle	**la notizia**
le radiojournal	**il notiziario**
écouter la radio	**ascoltare la radio**
une émission en direct	**la trasmissione in diretta**
enregistrée	**registrata**
le match en différé	**la partita in differita**
le satellite/par satellite	**il satellite/via satellite**
la presse	**la stampa**
le journal	**il giornale**
le quotidien du matin	**il quotidiano del mattino**
du soir	**della sera**
l'hebdomadaire	**il settimanale**
la revue	**la rivista**
le journal à scandales	**il giornale scandalistico**
l'article	**l'articolo**
de fond	**di fondo**
la première page	**la prima pagina**
la publicité	**la pubblicità**
le lecteur	**il lettore**
l'agence de presse	**l'agenzia stampa**
le dessin humoristique	**la vignetta**
la presse spécialisée	**la stampa specializzata**
le mensuel	**il mensile**
le journaliste	**il giornalista**
l'écrivain	**lo scrittore**
le dessinateur	**il disegnatore/il vignettista**

A Que veut dire en français :

1. Ascolto sempre la radio.
2. La nostra televisione non funziona più.
3. Hai comprato il giornale ?
4. Ho letto un articolo sugli scandali politici.
5. Domani i giornalisti fanno sciopero.
6. Stasera c'è una partita internazionale.
7. Ho visto una trasmissione interessante.

B Comment dites-vous en italien :

1. *La télévision ne m'intéresse pas.*
2. *J'aime beaucoup ce dessinateur.*
3. *Ce présentateur est très fameux.*
4. *Éteins la radio !*
5. *Ce matin j'ai acheté deux journaux et trois magazines.*
6. *Ce soir il y a une édition spéciale des informations (télévisées).*
7. *As-tu entendu les dernières nouvelles ?*

C Complétez :

1. . . . la televisione
2. . . . la radio
3. il . . . della sera
4. l' . . . scandalistico
5. la . . . in diretta

SOLUTIONS

A
1. *J'écoute toujours la radio.*
2. *Notre télé ne marche plus.*
3. *As-tu acheté le journal ?*
4. *J'ai lu un article sur les scandales politiques.*
5. *Demain les journalistes feront la grève.*
6. *Ce soir il y a un match international.*
7. *J'ai vu une émission intéressante.*

A
1. La televisione non mi interessa.
2. Mi piace molto questo vignettista.
3. Questo presentatore è molto famoso.
4. Spegni la radio !
5. Questa mattina ho comprato due giornali e tre riviste.
6. Questa sera c'è un'edizione speciale del telegiornale.
7. Hai sentito le ultime notizie ?

C
1. guardare.
2. ascoltare.
3. giornale.
4. articolo.
5. trasmissione.

le climat	**il clima**
le ciel	**il cielo**
le soleil	**il sole**
le vent	**il vento**
la pluie	**la pioggia**
les nuages	**le nuvole**
l'orage	**il temporale**
la tempête	**la tempesta**
la grêle	**la grandine**
le gel	**il gelo**
la neige	**la neve**
le brouillard	**la nebbia**
le verglas	**il ghiaccio**
la chaleur	**il caldo**
sèche	**secco**
humide	**umido**
le temps	**il tempo**
variable	**variabile**
stable	**stabile**
il fait chaud	**fa caldo**
il fait froid	**fa freddo**
couvert	**coperto**
nuageux	**nuvoloso**
Il fait	**il tempo è**
beau	**bello**
mauvais	**brutto**
il est dangereux	**è pericoloso**
le (coup de) tonnerre	**il tuono**
l'éclair	**il lampo**
la foudre	**il fulmine**
la rafale	**la raffica**
l'inondation	**l'inondazione**
il pleut	**piove**
il neige	**nevica**

A Que veut dire en français :

1. Il clima in questa regione è molto dolce.
2. Questa sera è previsto un temporale.
3. La nebbia e il gelo sono molto pericolosi.
4. La grandine ha rovinato (abîmer) la campagna.
5. Ho paura dei tuoni e dei lampi.
6. Piove da quindici giorni.
7. L'inverno scorso c'è stata un'inondazione.

B Comment dites-vous en italien :

1. *Les nuages couvrent le soleil.*
2. *L'été a été très chaud et sec.*
3. *Il y a des rafales de vent.*
4. *Hier il a plu et il a fait froid.*
5. *Ici il neige en hiver.*
6. *Le ciel est couvert, mais il ne fait pas froid.*
7. *Il est dangereux de conduire avec le brouillard.*

C Complétez :

1. Oggi piove, il tempo è . . .
2. Oggi c'è il sole, fa . . .
3. Oggi le strade sono ghiacciate. E' pericoloso . . .

SOLUTIONS

A
1. *Le climat dans cette région est très doux.*
2. *Un orage est prévu ce soir.*
3. *Le brouillard et le verglas sont très dangereux.*
4. *La grêle a abîmé la campagne.*
5. *J'ai peur des coups de tonnerre et des éclairs.*
6. *Il pleut depuis quinze jours.*
7. *L'hiver dernier, il y a eu une inondation.*

B
1. Le nuvole coprono il sole.
2. L'estate è stata molto calda e secca.
3. Ci sono raffiche di vento.
4. Ieri ha piovuto e ha fatto freddo.
5. Qui nevica in inverno.
6. Il cielo è coperto, ma non fa freddo.
7. E' pericoloso guidare con la nebbia.

C 1. brutto.   2. caldo.   3. guidare.

les documents/les papiers	**i documenti**
la carte d'identité	**la carta d'identità**
le passeport	**il passaporto**
le permis de conduire	**la patente**
la carte de séjour	**il permesso di soggiorno**
le certificat de...	**il certificato di...**
la fiche d'état civil	**lo stato di famiglia**
la carte grise	**il libretto di circolazione**
l'attestation	**l'attestazione**
la recommandation	**la raccomandazione**
le pot-de-vin	**la bustarella**
c'est M. X. qui m'envoie	**mi manda il signor X.**
insister	**insistere**
urgent	**urgente**
j'ai besoin de... d'urgence	**ho bisogno di... con urgenza**
l'assurance	**l'assicurazione**
le billet, le ticket	**il biglietto**
l'abonnement	**l'abbonamento**
périmé, non valide	**scaduto**
la demande officielle	**la domanda ufficiale**
le papier fiscal/timbré	**la carta da bollo**
le timbre fiscal	**la marca da bollo**
le timbre-poste	**il francobollo**
la demande sur papier libre	**la domanda in carta libera**
la dénonciation	**la denuncia**
s'adresser à	**rivolgersi a**
s'abonner	**fare un abbonamento**
le bureau	**l'ufficio**
le guichet	**lo sportello**
l'employé	**l'impiegato**
le responsable	**il reponsabile**
le chef de bureau	**il capufficio**
le directeur	**il direttore**

A **Que veut dire en français :**

1. Mi fa vedere i documenti, per favore ?
2. Per il permesso di soggiorno è necessario avere un' attestazione di domicilio.
3. Ha il libretto di circolazione della macchina ?
4. Può dire al direttore che mi manda il Sig. Rossi ?
5. Per la domanda ufficiale ho bisogno della carta da bollo.
6. L'impiegato non è allo sportello.
7. Il suo abbonamento è scaduto.

B **Comment dites-vous en italien :**

1. *Vous devez faire la demande sur papier libre.*
2. *Je veux voir le responsable du bureau.*
3. *Je veux prendre un abonnement.*
4. *J'ai besoin d'un certificat de naissance.*
5. *Votre ticket est périmé.*
6. *Je me permets d'insister.*
7. *Je veux dix timbres pour la France.*

C **Trouvez le mot français correspondant à l'italien :**

1. francobollo
2. scaduto
3. sportello
4. bustarella.

a. *périmé*
b. *pot-de-vin*
c. *timbre*
d. *guichet*

SOLUTIONS

A 1. *Pouvez-vous me montrer vos papiers, s'il vous plaît ?*
2. *Pour le permis de séjour il faut avoir une attestation de domicile.*
3. *Avez-vous la carte grise ?*
4. *Pouvez-vous dire au directeur que c'est M. Rossi qui m'envoie ?*
5. *Pour la demande officielle j'ai besoin du papier timbré.*
6. *L'employé n'est pas au guichet.*
7. *Votre abonnement est périmé (n'est plus valable/ valide).*

B 1. Deve fare domanda su carta libera.
2. Voglio vedere il responsabile dell'ufficio.
3. Voglio fare un abbonamento.
4. Ho bisogno di un certificato di nascita.
5. Il suo biglietto è scaduto.
6. Mi permetto di insistere.
7. Voglio dieci francobolli per la Francia.

C 1. c.   2. a.   3. d.   4. b.

je ne suis pas bien	**non sto bene**
le médicament	**la medicina**
j'ai mal	**ho mal**
aux dents	**di denti**
à la tête	**di testa**
à la gorge	**di gola**
au ventre	**di pancia**
à l'estomac	**di stomaco**
au dos	**di schiena**
j'ai la fièvre	**ho la febbre**
j'ai la nausée	**ho nausea**
je vomis	**vomito**
je tousse, la toux	**tossisco, la tosse**
je n'ai plus de voix	**non ho più voce**
je suis enrouée	**ho la voce rauca**
je suis allergique à...	**sono allergico a...**
je suis enrhumé	**ho il raffreddore**
se casser	**rompersi**
une jambe	**una gamba**
un bras	**un braccio**
la fracture	**la frattura**
le plâtre	**il gesso**
aller à l'hôpital	**andare in ospedale**
être hospitalisé	**essere ricoverato**
le service	**il reparto**
la radiographie	**la radiografia**
l'opération	**l'operazione**
être opéré	**essere operato**
l'infirmier/ère	**l'infermiere/a**
le dentiste	**il dentista**
l'anesthésiste	**l'anestesista**
le chirurgien	**il chirurgo**
blessé	**ferito**
je suis enceinte de... mois	**sono incinta di... mesi**
les analyses	**le analisi**
La piqûre	**l'iniezione**
guéri	**guarito**
malade	**ammalato**
contagieux	**contagioso**
l'ordonnance	**la ricetta**

A Que veut dire en français :

1. Ho chiamato il dottore perché non sto bene.
2. Ho la febbre e la tosse.
3. Non voglio andare in ospedale.
4. Mi hanno fatto due radiografie.
5. Signora, ha una gamba rotta.
6. Sono allergico all'aspirina.
7. Sono incinta di sette mesi.

B Comment dites-vous en italien :

1. *J'ai été très malade, mais maintenant je suis guéri.*
2. *Il y a un blessé dans la rue.*
3. *Il n'y a pas besoin d'ordonnance.*
4. *J'ai la fièvre et la nausée.*
5. *J'ai très mal au ventre.*
6. *Jean s'est cassé un bras.*
7. *Vous devez être opéré.*

C Complétez :

1. Sono . . . di sette mesi.
2. Ho . . . di testa.
3. Non . . . bene.

SOLUTIONS

A

1. *J'ai appelé le médecin car je ne suis pas bien.*
2. *J'ai la fièvre et je tousse (la toux).*
3. *Je ne veux pas aller à l'hôpital.*
4. *On m'a (Ils m'ont) fait deux radiographies.*
5. *Madame, vous avez la jambe cassée.*
6. *Je suis allergique à l'aspirine.*
7. *Je suis enceinte de sept mois.*

B

1. Sono stato molto ammalato, ma adesso sono guarito.
2. C'è un ferito in strada.
3. Non c'è bisogno della ricetta.
4. Ho la febbre e la nausea.
5. Ho mal di pancia molto forte (ho molto mal di pancia).
6. Jean si è rotto un braccio.
7. Deve essere operato.

C

1. incinta.   2. mal.   3. sto.

inviter	**invitare**
envoyer une invitation	**mandare un invito**
une réception	**un ricevimento**
une fête	**una festa**
d'anniversaire	**di compleanno**
d'anniversaire (mariage)	**di anniversario**
en famille	**in famiglia**
entre amis	**fra amici**
dansante	**da ballo**
un gala	**un gala**
« tenue de soirée de rigueur »	**l'abito scuro è di rigore**
la robe/l'habit de soirée	**l'abito da sera**
le smoking	**lo smoking**
agréable	**gradevole**
intéressant	**interessante**
la cravate	**la cravatta**
le nœud papillon	**il papillon**
le buffet	**il buffet**
le dîner	**la cena**
assis	**seduta**
debout	**in piedi**
le vin d'honneur	**il rinfresco**
le cocktail	**il cocktail**
l'apéritif	**l'aperitivo**
la présentation	**la presentazione**
la conversation	**la conversazione**
le maître de maison	**il padrone di casa**
la maîtresse de maison	**la padrona di casa**
danser	**ballare**
le groupe de personnes	**il gruppo di persone**
je vous présente	**le presento**
M. X...	**il signor X.**
avocat	**l'avvocato X.**
ingénieur	**l'ingegner(e) X.**
docteur	**il dottor(e) X.**
architecte	**l'architetto X.**
professeur	**il professor(e) X.**
M. le député	**l'onorevole X.**
M. le ministre	**l'onorevole X.**

En Italie il est tout à fait correct et poli de présenter une personne ou de se présenter soi-même en utilisant un titre universi-
taire. *Dottore* est utilisé, en signe de respect, pour toute personne
dont on ne connaît pas la profession ou le titre.

A Que veut dire en français :

1. Sono invitati al gala di chiusura del festival.
2. Il padrone di casa è un mio amico.
3. E' di rigore l'abito scuro.
4. Non mi piace ballare.
5. Professor X., le presento l'ingegner Y.
6. Il concerto sarà seguito da un rinfresco.
7. La conversazione era molto gradevole e interessante.
8. Siete tutti invitati alla mia festa di compleanno.

B Comment dites-vous en italien :

1. *Après la conférence (la conferenza) il y a eu un vin d'honneur.*
2. *Je n'aime pas les dîners debout.*
3. *Il a acheté un smoking pour la réception.*
4. *Mme X. a une robe du soir magnifique.*
5. *Tu dois mettre la cravate pour le dîner.*
6. *Je vous présente M. le ministre X.*
7. *Nos voisins nous invitent pour l'apéritif ce soir à six heures.*

C Trouvez le mot français correspondant à l'italien :

1. ballare
2. l'abito da sera
3. il ricevimento

a. *la réception*
b. *danser*
c. *la robe du soir.*

SOLUTIONS

A

1. *Ils sont invités au gala de fermeture du festival.*
2. *Le maître de la maison est mon ami.*
3. *La tenue de soirée est de rigueur.*
4. *Je n'aime pas danser.*
5. *Monsieur le professeur X., je vous présente M. Y., ingénieur.*
6. *Le concert sera suivi d'un vin d'honneur.*
7. *La conversation a été très agréable et intéressante.*
8. *Vous êtes tous invités à mon anniversaire.*

B

1. Dopo la conferenza c'è stato un rinfresco.
2. Non mi piacciono le cene in piedi.
3. Ha comprato uno smoking per il ricevimento.
4. La signora X. ha un vestito da sera magnifico.
5. Devi mettere la cravatta per la cena.
6. Le presento l'onorevole X.
7. I nostri vicini ci invitano questa sera per un aperitivo alle sei.

C

1. b.   2. c.   3. a.

C'était très gentil de votre part de nous inviter ce soir.
Che gentile a invitarci stasera.

Quelle belle maison vous avez, et quelle belle vue (elle a) !
Che bella casa, e che vista magnifica (ha) !

Elle est meublée avec beaucoup de goût.
E' arredata con molto buon gusto.

C'est une très belle peinture ancienne/moderne.
E' un bellissimo quadro antico/moderno.

Désirez-vous un thé, un café, etc. ?
Prende volentieri un té, un caffè, ecc. (eccetera) ?
Un thé, merci, c'est une excellente idée.
Un té grazie, è una splendida idea.

Quel beau feu ! C'est très intime.
Che bel fuoco ! E molto intimo.

Madame, vous êtes vraiment très élégante.
Signora, è davvero molto elegante.

Cette robe/couleur vous va très bien.
Questo vestito/colore Le sta molto bene.

Cette tarte aux framboises est un délice.
Questa torta di lamponi è deliziosa.

Est-ce une recette de votre famille ?
E' una ricetta di casa sua ?

J'aimerais beaucoup avoir la recette.
Mi farebbe piacere avere la ricetta.

C'est vous qui avez brodé cette nappe ?
E' Lei che ha ricamato questa tovaglia ?

Le déjeuner/dîner était exquis. Mes compliments.
Il pranzo/la cena è stato squisito/a. Complimenti !

C'était vraiment une journée/soirée très agréable.
E' stata davvero una giornata/serata molto gradevole.

C'était un week-end merveilleux dans votre maison de campagne/à la mer.
E' stato un weekend meraviglioso nella Sua/vostra casa di campagna/al mare.

J'espère que nous aurons bientôt l'occasion de vous rendre votre gentillesse et votre générosité.
Spero che avremo presto l'opportunità di ricambiare la vostra gentilezza e generosità.

A Que veut dire en français :

1. Questa torta di mele è molto buona !
2. Che bel vestito ha questa sera !
3. Grazie per il gentilissimo invito.
4. La Sua casa mi piace molto.
5. Spero di poter ricambiare l'invito.
6. Che bella idea servire il caffè sulla terrazza !

B Comment dites-vous en italien :

1. *D'ici, il y a une vue magnifique.*
2. *Votre jardin est vraiment très beau.*
3. *J'aime beaucoup votre gâteau.*
4. *J'espère avoir l'opportunité de vous rendre votre générosité.*
5. *Cette robe vous va à merveille.*
6. *Nous vous remercions de votre invitation.*

C Complétez :

1. Il pranzo è stato . . . .
2. Questo colore . . . molto bene.
3. Che bella . . . c'è di qui !

SOLUTIONS

A

1. *Cette tarte aux pommes est très bonne.*
2. *Quelle belle robe vous avez ce soir !*
3. *Nous vous remercions de votre invitation si gentille.*
4. *Votre maison me plaît beaucoup.*
5. *J'espère pouvoir rendre l'invitation.*
6. *Quelle bonne idée, d'offrir le café sur la terrasse !*

B

1. Da qui c'è una vista magni-fica.
2. Il Suo / vostro giardino è molto bello.
3. Il suo dolce mi piace molto.
4. Spero di avere l'opportunità di ricambiare la Sua / vostra generosità.
5. Questo vestito Le sta molto bene.
6. Vi ringraziamo per la vostra generosità.

C

1. squisito, delizioso ecc.   2. Le, ti, vi sta   3. vista

À L'HÔTEL :

• *... mais j'ai réservé il y a une semaine. J'ai envoyé des arrhes et j'ai donc le droit d'avoir une chambre !*

• *J'avais demandé une chambre calme avec vue et salle de bains et j'ai une chambre bruyante qui donne sur une rue malsaine et qui n'a qu'un lavabo.*

AU RESTAURANT :

• *J'ai demandé une salade de crevettes et vous m'apportez une salade de crabe et en plus vous me dites que c'est la même chose !*

• *Ce vin sent le bouchon. Il est imbuvable !*

• *Cela fait une demi-heure que j'attends l'eau minérale. Vous êtes en train de la fabriquer ?*

• *Qu'est-ce que ça veut dire, ma carte de crédit n'est pas acceptée ! Le symbole VISA est affiché et en tout cas je n'ai aucun autre moyen de payer.*

• *Nous avons pris seulement une entrée et deux desserts. Vous devrez refaire l'addition.*

À L'AGENCE DE VOYAGES :

• *Quoi ? Le voyage de retour est annulé ? Vous devez me trouver un moyen pour rentrer en France. Je dois être à Lyon au plus tard lundi matin.*

ALL'HOTEL :

• ... ma io ho prenotato una settimana fa. Ho mandato una caparra e dunque ho il diritto di avere una camera !

• Avevo chiesto una camera calma con vista e con bagno e ho una camera rumorosa che dà su una strada malsana e che ha solo un lavabo.

AL RISTORANTE :

• Ho chiesto un'insalata di gamberetti e mi porta un' insalata di granchi, e in più mi dice che è la stessa cosa !

• Questo vino sa di tappo. E' imbevibile !

• E' mezz'ora che aspetto l'acqua minerale. La state fabbricando ?

• Cosa vuol dire, la carta di credito non è accettata ? Il simbolo VISA è esposto e in ogni caso io non ho altro mezzo per pagare.

• Noi abbiamo preso solo un primo e due dessert. Deve rifare il conto.

ALL'AGENZIA DI VIAGGI :

• Come ? Il viaggio di ritorno è annullato ? Deve trovare un mezzo per farmi tornare in Francia. Devo essere a Lyon lunedì mattina al più tardi.

A **Que veut dire en français :**

1. Ho chiesto un'insalata mista, e non patate !

2. Ho prenotato una camera doppia, non <u>singola</u>.

3. Se il mio volo è annullato, mi trovi un altro volo.

4. Se non accettate la carta di credito, non posso pagare.

5. Questo conto è troppo alto, non abbiamo preso né vino, né caffè.

6. Questo vino è imbe<u>vi</u>bile, e costa 60 000 lire la bottiglia.

B **Comment dites-vous en italien :**

1. *Si les chèques ne sont pas acceptés, comment puis-je payer ?*

2. *Ce n'est pas la chambre que j'ai réservée.*

3. *J'ai payé la réservation, et donc j'ai droit à une place assise !*

4. *J'ai demandé de l'agneau, je n'aime pas le lapin.*

5. *Je ne paie pas quelque chose que je n'ai pas pris.*

SOLUTIONS

A 1. *J'ai demandé une salade mixte, pas des pommes de terre !*

2. *J'ai réservé une chambre double, et pas une* single *!*

3. *Si mon vol est annulé, trouvez-m'en un autre.*

4. *Si vous n'acceptez pas la carte de crédit, je ne peux pas payer.*

5. *Cette addition est trop élevée, nous n'avons pris ni vin ni café.*

6. *Ce vin est imbuvable, et il coûte 60 000 lires la bouteille.*

B 1. Se gli assegni non sono accettati, come posso pagare ?

2. Questa non è la camera che ho prenotato.

3. Ho pagato per la prenotazione e dunque ho diritto a un posto a sedere.

4. Ho chiesto l'agnello, non mi piace il coniglio !

5. Non pago per qualcosa che non ho preso.

le coup de téléphone	**la telefonata**
le coup de fil	**il colpo di telefono**
mon numéro est 32 18 09	**il mio numero è 32 18 09 (trentedue, diciotto, zero, nove)**
le répondeur	**la segreteria telefonica**
laisser un message	**lasciare un messagio**
allô ?	**pronto ?**
Mario Rossi à l'appareil	**parla Mario Rossi**
Je voudrais parler à...	**vorrei parlare con...**
ne quittez pas	**resti in linea**
le poste est occupé	**la sua linea è occupata**
M. Bianchi est en ligne	**il signor Bianchi è in linea**
pouvez-vous rappeler dans une heure ?	**può richiamare fra un' ora ?**
je vous donne un autre numéro	**le do un altro numero**
décrocher	**staccare**
raccrocher	**riattaccare**
raccrocher au nez *(familier)*	**buttar giù** *(familiare)*
vous vous êtes trompé de numéro, ici c'est le...	**ha sbagliato numero, qui è il...**
excusez-moi !	**mi scusi !**
le poste 4117 s.v.p.	**mi passi l'interno 4117 per favore**
le standard	**il centralino**
le téléphone à unités	**il telefono a scatti**
deux cents lires par unité	**duecento lire a scatto**
la cabine	**la cabina telefonica**
le téléphone à jetons	**il telefono a gettoni**
la carte téléphonique...	**la scheda telefonica...**
... de quatre-vingts unités	**... da ottanta unità**
l'annuaire téléphonique	**l'elenco**
chercher un numéro	**cercare un numero**
l'indicatif	**il prefisso**
international	**internazionale**
interurbain	**interurbano**

A Que veut dire en français :

1. Ha lasciato un messaggio sulla segreteria telefonica.
2. Mi può richiamare più tardi ?
3. Mi passa l'interno dodici per favore ?
4. Si è arrabbiato (se fâcher)
e mi ha buttato giù il telefono.
5. Il signor X. è in linea, può richiamare fra cinque minuti ?
6. Deve pagare settantacinque scatti.

B Comment dites-vous en italien :

1. *Je voudrais une carte téléphonique de cent unités.*
2. *Vous pouvez trouver M. X. à ce numéro.*
3. *Je dois passer un coup de fil à Anne.*
4. *Le poste 12 est occupé, vous patientez ?*
5. *La cabine est en panne.*
6. *Il n'a pas de répondeur.*
7. *Voulez-vous deux jetons ?*

C Complétez

1. Il . . . a scatti.
2. . . . giù il telefono.
3. . . . un messaggio.
4. Il . . . di telefono.
5. Resti in . . . .

SOLUTIONS

A
1. *Il a laissé un message sur le répondeur.*
2. *Pouvez-vous me rappeler plus tard ?*
3. *Pouvez-vous me passer le poste numéro douze, s'il vous plaît ?*
4. *Il s'est fâché et il m'a raccroché au nez.*
5. *M. X. est en ligne, rappelez dans cinq minutes.*
6. *Vous devez payer soixante-quinze unités.*

B
1. Vorrei una carta telefonica da cento unità.
2. Può trovare il signor X. a questo numero.
3. Devo dare un colpo di telefono a Anna.
4. L'interno 12 (dodici) è occupato, può aspettare ?
5. La cabina telefonica è guasta.
6. Non ha la segreteria telefonica.
7. Vuole due gettoni ?

C 1. telefono. 2. Buttare. 3. Lasciare. 4. numero. 5. linea.

Sommaire
du mémento grammatical

1. ÉLÉMENTS DE PRONONCIATION

L'italien est une langue « phonétique » : son orthographe correspond toujours à sa prononciation. L'alphabet n'a que 21 lettres.

A		asino,	*âne*	N [èn-né]	nonno,	*grand'père*
B [bi]		bicicletta,	*vélo*	O	oro,	*or*
C [tchi]		caldo,	*chaud*	P [pi]	pizza,	*pizza*
D [di]		dire,	*dire*	Q [cou]	quadro,	*tableau*
E [é]		elefante,	*éléphant*	R [èr-ré]	Roma,	*Rome*
F [èffé]		forza,	*force*	S [èssé]	sasso,	*rocher*
G [dji]		giraffa,	*giraffe*	T [ti]	Torino,	*Turin*
H [acca]		ho,	*j'ai*	U [ou]	uva,	*raisin*
I		ieri,	*hier*	V [vi/vou]	vita,	*vie*
L [èl-lé]		lungo,	*long*	Z [tséta]	zero,	*zéro*
M [èm-mé]		mamma,	*maman*			

■ PRONONCIATION :

La transcription de la prononciation de l'italien figure entre crochets [ ] chaque fois qu'elle n'est pas directement lisible en français.

La prononciation des voyelles :

Elle ne fait aucune difficulté :

• **a** [a], **i** [i], **o** [o] se prononcent comme en français ;

• **e** peut être fermé [é] : **Elena** [éléna], *Hélène,* ou ouvert [è] : **bello** [bèl-lo], *beau* ;

• **u** se prononce [ou] : **utile** [outilé], *utile* ; il est toujours prononcé.

Voyelles associées : les voyelles ne se combinent jamais pour former un son différent ; au contraire chacune garde sa propre prononciation :

• **ai** = a + i [aï], **aiuto** [aïouto], *aide* ;

• **eu** = e + u [éou], **Europa** [éouropa], *Europe* ;

• **oi** = o + i [oï], **noi** [noï], *nous* ;

• **u** se prononce toujours, même après **g** ou **q** : **quadro** [kouadro], *tableau* ; **guerra** [gouèr-ra], *guerre* ;

• voyelle + consonne : pas de son « nasal » : chaque lettre reste prononcée séparément. On le signale par un tiret : **vento** [vè-nto], *vent.*

La prononciation des consonnes :

• **j, k, w, y** et **x** n'existent pas dans l'alphabet italien ; **ph** est remplacé par **f**, **y** par **i** ; **th** est simplement **t** :

farmacia = *pharmacie* ; **teoria** = *théorie* ; **fisica** = *physique* ;

• **h** ne se trouve jamais en début de mot, sauf pour les formes du verbe avoir : **ho**, *j'ai* ; **hai**, *tu as* ; **ha**, *il a* ; **hanno**, *ils ont*. Mais **orizzonte**, *horizon*, **ora**, *heure*, etc.

• **s** se prononce [s] ou [z] ; dans certaines régions **s** est prononcé [s] même entre voyelles ;

• **z** se prononce toujours [ts] ou [dz] ;

• **c** et **g** ont un son différent selon la voyelle qui suit ;

• **c, g** : devant **a, o, u** le son de **c** ou de **g** est dur :

• **c + a = ca** [ka] : cane [ka**né**], *chien* ; **c + o = co** [ko] : cosa [**ko**za], *chose* ; **c + u = cu** [kou] : cuore [kou**oré**], *cœur* ;
g + a = ga [ga] : gatto [**gat**-to], *chat* ; **g + o = go** [go] : gola [**go**la], *gorge* ; **g + u = gou** [gou] : gusto [**gous**to], *goût* ;

• **c, g** : devant **e** ou **i**, le son est doux :
c + e = ce [tché] : celeste [tché**lès**té], *bleu ciel/clair* ;
c + i = ci [tchi] : Cina [**tchi**na], *Chine*. Attention ! le son du **i** dans **ci** peut disparaître devant une autre voyelle : ciao [**tcha**o], *salut* ;
g + e = [djé] : gelato [djé**la**to], *glace* ;
g + i = gi [dji] : giraffa [dji**raf**fa], *giraffe*. Attention ! le son du **i** dans **gi** peut disparaître devant une autre voyelle : giallo [**dja**llo], *jaune*.

• Les **consonnes doubles** se prononcent toujours <u>très</u> fortement en italien ; en début d'ouvrage, nous soulignons cette caractéristique importante par un tiret entre les consonnes redoublées :

sono [**so**no], *je suis* ≠ sonno [**son**-no], *sommeil* ; capello [ka**pèl**-lo], *cheveu* ; cappello [kap-**pèl**-lo], *chapeau* ; fato [**fa**to], *destin* ; fatto [**fat**-to], *fait*.

• **zz** : ce son double est figuré selon le cas par [tts] ou [ddz] ;

• **gli** se prononce très mouillé : [lyi] ; figlio [**fi**lyio], *fils* ;

• **gn** se prononce [gn] : agnello [a**gnèl**-lo], *agneau* ;

• **ch, gh** : si on ajoute un **h** entre la consonne **c** ou **g** et la voyelle **i** ou **e** qui suivent, on a un <u>son dur</u> :
c + h + i = chi [ki] : chi, *qui* ; chiave [kia**vé**], *clé* ; chiudere [kiou**dé**ré], *fermer* ;
c + h + e = che [ke] : che [ké], *que, quoi* ; poche [**po**ké], *peu* ;
g + h + i = ghi [gui] : ghirlanda [guir**lan**da], *guirlande* ;
g + h + e = ghe [gué/guè] : spaghetti [spa**guèt**ti], *spaghettis* ;

• **sc** : la prononciation change selon la lettre qui suit :
s + c + e = sce [ché/chè] : scelta [**chèl**ta], *choix* ;
s + c + i = sci [chi] : sciare [chia**ré**], *skier*.

Attention ! le son du **i** dans **sci** peut disparaître devant voyelle :
sci + a = [cha] : scialle [**chal**lé], *châle* ;
sci + o = [cho] : sciopero [**cho**péro], *grève* ;
sci + u = [chou] : sciupare [chou**pa**ré], *abîmer, gaspiller*.
s + c + a = sca [ska] : scale [ska**lé**], *escalier, échelle*.

2. LA CONJUGAISON DES VERBES

2.1. Le présent de l'indicatif

essere	*être*	**avere**	*avoir*
sono	*je suis*	ho	*j'ai*
sei	*tu es*	hai	*tu as*
è	*il/elle est*	ha	*il/elle a*
siamo	*nous sommes*	abbiamo	*nous avons*
siete	*vous êtes*	avete	*vous avez*
sono	*Ils/elles sont*	hanno	*Ils/elles ont*

RAPPELS :

• En italien on n'utilise pas les pronoms personnels devant le verbe.

• La forme interrogative s'obtient simplement par l'intonation montante de la voix.

• La négation se forme en plaçant **non** devant le verbe.

• Pour la forme de politesse on utilise la troisième personne du singulier (avec le pronom **Lei**).

• **C'è** : *il y a* + singulier ; **c'è un gatto,** *il y a un chat.*

• **Ci sono** : *il y a* + pluriel ; **ci sono due bambini,** *il y a deux enfants.*

■ Conjugaison de quelques verbes réguliers (terminaison en ARE, ERE, IRE) :

parlare, *parler*	**credere,** *croire*	**partire,** *partir*	**capire,** *comprendre*
parlo, *je parle*	credo, *je crois*	parto, *je pars*	capisco, *je comprends*
parli	credi	parti	capisci
parla	crede	parte	capisce
parliamo	crediamo	partiamo	capiamo
parlate	credete	partite	capite
parlano	credono	partono	capiscono

REMARQUE :

Les verbes suivants en -ire se conjugue sur le modèle de partire :

aprire,	*ouvrir*	partire,	*partir*
coprire,	*couvrir*	servire,	*servir*
divertirsi,	*s'amuser*	soffrire,	*souffrir*
offrire,	*offrir*	vestire,	*habiller*

■ Conjugaison de quelques verbes irréguliers :

andare, *aller*	**venire,** *venir*	**uscire,** *sortir*
vado	vengo	esco
vai	vieni	esci
va	viene	esce

andiamo	veniamo	usciamo	
andate	venite	uscite	
vanno	vengono	escono	

stare, *rester*	fare, *faire*	dare, *donner*	bere, *boire*
sto	faccio	do	bevo
stai	fai	dai	bevi
sta	fa	dà	beve
stiamo	facciamo	diamo	beviamo
state	fate	date	bevete
stanno	fanno	danno	bevono

volere, *voler*	dovere, *devoir*	potere, *pouvoir*	sapere, *savoir*
voglio	devo	posso	so
vuoi	devi	puoi	sai
vuole	deve	può	sa
vogliamo	dobbiamo	possiamo	sappiamo
volete	dovete	potete	sapete
vogliono	devono	possono	sanno

2.2. Le passé composé

Le passé composé se forme avec l'auxiliaire *être* ou *avoir* suivi du participe passé :

• Verbes se terminant en

-ARE	-ERE	-IRE
guardare, *regarder*	credere, *croire*	finire, *finir*
ho guardato, *j'ai regardé*	ho creduto, *j'ai cru*	ho finito, *j'ai fini*
entrare	cadere	uscire
sono entrato,	sono caduto,	sono uscito,
je suis entré	*je suis tombé*	*je suis sorti*

RAPPELS :

• En italien **essere** est son propre auxiliaire : **sono stato**, *j'ai été*, et **avere** son propre auxiliaire : **ho avuto**, *j'ai eu*.

• Comme en français l'accord du participe se fait avec **essere**, *être*, mais pas avec **avere**, *avoir* ; en principe les verbes sont les mêmes dans les deux langues :

Siamo andati al mare. *Nous sommes allés à la mer.*
Abbiamo comprato il giornale. *Nous avons acheté le journal.*

■ Quelques participes irréguliers :

fare, fatto,	*faire*	dare, dato,	*donner*
mettere, messo,	*mettre*	prendere, preso,	*prendre*
dire, detto,	*dire*	chiudere, chiuso,	*fermer*
perdere, perso,	*perdre*	bere, bevuto,	*boire*
vedere, visto,	*voir*	aprire, aperto,	*ouvrir*

2.3. Le futur

essere	avere
sarò, *je serai*	avrò, *j'aurai*
sarai	avrai
sarà	avrà
saremo	avremo
sarete	avrete
saranno	avranno

parlare	credere	finire
parlerò, *je parlerai*	crederò, *je croirai*	finirò, *je finirai*
parlerai	crederai	finirai
parlerà	crederà	finirà
parleremo	crederemo	finiremo
parlerete	crederete	finirete
parleranno	crederanno	finiranno

RAPPEL :

andrò, *j'irai*   berrò, *je boirai*   potrò, *je pourrai*   vedrò, *je verrai*
dovrò, *je devrai* saprò, *je saurai* vorrò, *je voudrai*   verrò, *je viendrai*

• Le futur est rarement utilisé dans la langue parlée, mais de plus en plus remplacé par le présent : **domani parto,** *demain je partirai*.

• En revanche, le futur est utilisé pour exprimer une probabilité :

> **Dov'è Maria ? Sarà uscita.**
> *Où est Marie ? Elle est probablement sortie.*

2.4. Le conditionnel présent

essere	avere
sarei, *je serais*	avrei, *j'aurais*
saresti	avresti
sarebbe	avrebbe
saremmo	avremmo
sareste	avreste
sarebbero	avrebbero

parlare	credere	finire
parlerei, *je parlerais*	crederei, *je croirais*	finirei, *je finirais*
parleresti	crederesti	finiresti
parlerebbe	crederebbe	finirebbe
parleremmo	crederemmo	finiremmo
parlereste	credereste	finireste
parlerebbero	crederebbero	finirebbero

RAPPELS :

• Le conditionnel s'utilise pour :
  formuler une demande :
  Mi faresti un caffè ? *Peux-tu me faire un café ?*
  exprimer un désir : **Mi piacereble venire,** *J'aimerais venir.*
  un conseil : **Dovresti aspettare qui,** *Tu devrais attendre ici.*
  une intention : **Vorrei venire,** *Je voudrais venir.*

• Le conditionnel se formant à partir du futur, si un verbe est irrégulier au futur, il le sera au conditionnel aussi : **andare, andrò, andrei.**

2.5. Quelques notes sur le subjonctif

■ **Le présent du subjonctif**

essere		avere	
che io sia,	*que je sois*	che io abbia,	*que j'aie*
che tu sia,	*que tu sois*	che tu abbia,	*que tu aies*
che lui/lei sia,	*qu'il soit*	che lui/lei abbia,	*qu'il/elle ait*
che noi siamo		che noi abbiamo	
che voi siate		che voi abbiate	
che loro siano		che loro abbiano	

parlare	credere	sentire	finire
parli,	creda,	senta,	finisca,
que je parle	*que je crois*	*que j'entende*	*que je finisse*
parli	creda	senta	finisca
parli	creda	senta	finisca
parliamo	crediamo	sentiamo	finiamo
parliate	crediate	sentiate	finiate
parlino	credano	sentano	finiscano

RAPPELS :

• Le subjonctif est beaucoup plus utilisé en italien qu'en français.

• Le subjonctif est obligatoire après les verbes exprimant une opinion, un doute, une volonté, etc. : **pensare, credere, temere, dubitare, desiderare,** etc. :

Penso che sia tardi, *je pense qu'il est tard.* **Spero che ci sia,** *j'espère qu'il y sera.* **Dubito che piova,** *je doute qu'il pleuve.* **Voglio che parta,** *je veux qu'il parte.*

et aussi après **mi sembra che** et **non so se** : **Mi sembra che arrivi,** *il me semble qu'il arrive...* **Non so se parta,** *je ne sais pas s'il part.*

3. LES ARTICLES DÉFINIS ET INDÉFINIS

3.1. *Le, la, les,* il, lo, l', la, i, gli, le : les articles définis

• Devant un nom qui commence par une consonne, on utilise **il** au singulier, **i** au pluriel.

• Si le mot commence par **z**, par une voyelle, par s + consonne (**sb, sc, sd, sp, st, sv**, etc.), on utilise **lo** au singulier, **gli** au pluriel.
• **L'** est la forme élidée devant une voyelle du masculin **lo** et du féminin **la**.
• **Le**, article défini féminin pluriel, n'est jamais élidé.

ARTICLES DÉFINIS

	MASCULIN			FÉMININ
Singulier	**il** **il gatto** **il cane** **il bambino**	**l'** **l'amico**	**lo** **lo studente** **lo zero**	**la/l'** **l'amica** **la zia** **la strada**
Pluriel	**i** **i gatti** **i cani** **i bambini**	**gli** **gli amici** **gli zeri** **gli studenti**		**le** **le amiche** **le zie** **le strade**

3.2. Un, uno, una, un' : articles indéfinis

un	**uno**	**un'/una**
un gatto	**uno zero**	**un'amica**
un cane	**uno studente**	**una casa**
un amico	**uno zio**	**una zia**

RAPPELS :

• Élision : **un** (M.) devant une voyelle n'a pas d'apostrophe, tandis que **una** (F.) devient **un'** dans le même cas : **un amico, un'amica.**
• **Un, uno, una** n'ont pas de pluriel. Toutefois on peut utiliser **qualche** + nom au singulier : **qualche idea,** *quelques idées* ; **qualche giorno,** *quelques jours,* ou bien **alcuni, alcune** + nom pluriel.

4. LE NOM

• En italien il y a deux genres, le masculin et le féminin :
  — la plupart des mots en **o** sont du masculin ;
  — la plupart des mots en **a** sont du féminin ;
  — les mots en **e** peuvent être du masculin ou du féminin ;
  — les mots en **o** font leur pluriel en **i** ;
  — les mots en **a** font leur pluriel en **e** ;
  — les mots en **e** font leur pluriel en **i**.

M. sg.	F. sg.	M. pl.	F. pl.
il gatto, *le chat* il padre, *le père*	la casa, *la maison* la madre, *la mère*	i gatti i padri	le case le madri

RAPPELS :

• Sont invariables au pluriel :
  — les mots qui se terminent par **à, ò, è, ù, ì** :
    la città, le città ; il perchè, i perchè ; la virtù, le virtù ;
  — les mots qui se terminent par **une consonne : il bar, i bar** ;
  — les mots en **i** : la crisi, le crisi ;
  — et aussi : la foto, le foto ; il cinema, i cinema ; la radio, le radio.

5. LES PLURIELS PARTICULIERS

• Les mots qui se terminent par **co, ca, go, ga** au singulier ajoutent **h** après le **c** pour garder le son « dur » au pluriel :

co se transforme en **chi** : il cuoco, il cuochi, *le cuisinier* ;

go se transforme en **ghi** : il mago, i maghi, *le magicien* ;

ca se transforme en **che** : l'amica, le amiche, *l'amie* ;

ga se transforme en **ghe** : la collega, le colleghe, *la collègue*.

• Cependant certains mots en **ci** font **ci**, et en **go** font **ghi** :

  l'amico, gli amici, *l'ami, les amis*
  il nemico, i nemici, *l'ennemi, les ennemis*
  lo psicologo, gli psicologi, *le/s psychologue/s*
  l'asparago, gli asparagi, *l'asperge, les asperges*

■ Quelques pluriels sont complètement irréguliers :

  l'uomo, gli uomini, *l'homme, les hommes*
  il dio, gli dei, *le/s dieu/x*
  l'uovo, le uova, *l'œuf, les œufs*
  la mano, le mani, *la/les main/s*
  l'arma, le armi, *l'arme, les armes*
  l'ala, le ali, *l'aile, les ailes*

6. L'ADJECTIF

En italien, il y a deux catégories d'adjectifs :

• les adjectifs « à quatre terminaisons », qui s'accordent complètement au nom, que celui-ci se termine par **o/a** ou par **e** :

O → I	A → E
il gatto bello	la gatta bella
il gatti belli	le gatte belle

mais aussi :

il padre bello	la madre bella
i padri belli	Le madri belle

• les adjectifs « à deux terminaisons » :

E → I

il gatto **gentile**	la gatta **gentile**
i gatti **gentili**	le gatte **gentili**

mais aussi :

i padre **gentile**	la madre **gentile**
i padri **gentili**	Le madri **gentili**

RAPPELS :

• Il est impossible de donner la liste des adjectifs d'un groupe ou d'un autre.

• La formation du pluriel des adjectifs est la même que pour les noms.

• En italien l'adjectif suit en général le nom : il fiore rosso, *la fleur rouge* ; il caffè caldo, *le café chaud.* Cependant, pour insister sur la qualité, on peut le placer devant le nom : una bella casa, *une belle maison* ; un buon amico, *un bon ami* ; un ricco industriale, *un riche industriel.*

Quand l'adjectif est lui-même précédé par **molto, poco, troppo**, etc., il se place toujours après le nom.

Roma è una città molto antica, *Rome est une ville très ancienne.*

7. LES PRÉPOSITIONS

7.1. Les prépositions simples :

di/d'	Parlo **di** sport, *je parle de sport.* E' la macchina **di** Paolo, *c'est la voiture de Paul.* E' **d'**oro, *c'est en or.*
a	Vado **a** Roma, *je vais à Rome.* Il treno arriva **alle** 6 e 10, *le train arrive à 6 h 10.* Do il libro **a** Paolo, *je donne le livre à Paul.* Gelato **al** limone, *glace au citron.*
da	Vengo **da** Roma, *je viens de Rome.* Vado **dal** dottore, *je vais chez le docteur.* Aspetto **dalle** 5, *j'attends depuis 5 h.* Lo conosco **da** 10 anni, *je le connais depuis 10 ans.* Ho comprato un ferro **da** stiro e un vestito **da** sera, *j'ai acheté un fer à repasser et une robe du soir.*
in	Passo le vacanze **in** montagna, *je passe mes vacances à la montagne.* Abito **in** via Rossi, 4, *j'habite 4, rue Rossi.*
con	Parto **con** Luisa, *je pars avec Louise.* Chi è l'uomo **con** la barba ? *qui est l'homme à/avec la barbe ?*
su	Il gatto è **sul** tavolo, *le chat est sur la table.* Vorrei informazioni **sulla** società X, *je voudrais des renseignements sur la société X.*
per	Parto **per** Roma, *je pars pour Rome.* **Per** te, *Pour toi.*
tra/fra	E' una cena **fra/tra** amici, *c'est un dîner entre amis.* Lo vedo **fra/tra** la folla, *je le vois parmi la foule.*

7.2. Les prépositions composées :

RAPPELS :

• Les prépositions composées résultent de la contraction de la préposition simple et de l'article défini : **di + il → del** ; **a + le → alle**. Pour choisir la préposition composée qui convient, il faut donc tenir compte de l'article utilisée devant le nom : *le chien,* il **cane** ; *du chien,* del **cane**.

• Les prépositions **con, per** et **tra/fra** ne se combinent habituellement pas avec les articles dans la langue d'aujourd'hui ; pourtant il est possible de trouver les formes **col, collo, colla,** etc.

	il	lo	la	i	gli	le
di	del	dello	della	dei	degli	delle
a	al	allo	alla	ai	agli	alle
da	dal	dallo	dalla	dai	dagli	dalle
in	nel	nello	nella	nei	negli	nelle
con	con il	con lo	con la	con i	con gli	con le
su	sul	sullo	sulla	sui	sugli	sulle
per	per il	per lo	per la	per i	per gli	per le
tra/fra	tra il	tra lo	tra la	tra i	tra gli	tra le

8. LES POSSESSIFS (Voir tableau p. 44)

RAPPELS :

• Les possessifs s'accordent avec le nom auquel ils se rapportent :

Il suo cane, *son chien*
La sua macchina, *sa voiture*
Le sue chiavi, *ses clés*

• Le possessif, qu'il soit adjectif (*mon,* etc.) ou pronom (*le mien,* etc.), est toujours précédé de l'article : **il mio amico,** *mon ami.* La seule exception est la référence à un membre de la famille <u>au singulier</u> : **mio padre,** *mon père* ; **mia sorella,** *ma sœur.* Au pluriel, en revanche, l'article est obligatoire : **le mie sorelle,** *mes sœurs* ; **i miei cugini,** *mes cousins.*

• **Loro** (3e p. pl.) est toujours précédé de l'article : **il loro fratello,** *leur frère* ; **la loro madre,** *leur mère.*

• En italien on utilise le possessif seulement s'il est indispensable pour éviter la confusion. Comparez :

Ho perso l'ombrello.   *J'ai perdu mo parapluie.*
Ho perso il suo ombrello. *J'ai perdu son parapluie.*

9. LES PRONOMS PERSONNELS COMPLÉMENTS

Directs	Indirects
mi vedi, *tu me vois* **ti** incontro, *je te rencontre* **lo** (M) prendo, *je le prends* **la** (F) voglio, *je la veux* **ci** interroga, *il nous interroge* **vi** saluta, *il vous salue* **li** (M) mangio, *je les mange* **le** (F) rifiuto, *je les refuse*	**mi** parla, *il me parle* **ti** dico, *je te dis* **gli** racconta, *il lui raconte* (à lui) **le** rivela, *il lui révèle* (à elle) **ci** scrive, *il nous écrit* **vi** regala, *Il vous donne* danno **loro**, *ils leur donnent* (**gli** danno : familier)

Avec préposition	Réfléchis
a **me**, *à moi* per **te**, *pour toi* di **lui**, *de lui* da **lei**, *chez elle* con **noi**, *avec nous* tra **voi**, *entre vous* su **loro**, *sur eux*	**mi** lavo, *je me lave* **ti** vesti, *tu t'habilles* **si** (M et F) prepara, *il/elle se prépare* **ci** vediamo, *nous nous voyons* **vi** alzate, *vous vous levez* **si** (M et F) trovano, *ils/elles se trouvent*

Impersonnels
y, **ci** : **ci vado domani,** *j'y vais demain*   *en,* **ne** : **ne voglio ancora due,** *j'en veux encore deux*

RAPPELS :

• En italien, le pronom sujet est le plus souvent sous-entendu.

• Les Italiens se tutoient beaucoup. Ils utilisent aussi, outre la 2e personne du pluriel pour le tutoiement, une FORME DE POLITESSE avec **Lei, La, le, il Suo, la sua**, pronoms de la 3e personne du féminin (qu'on trouve parfois avec majuscule). L'accord se fait selon le genre réel de la personne à qui l'on s'adresse. Comparez : **Siete pronti ? Loro sono pronti/pronte** (selon le genre) ? tous trois traduits par *Vous êtes prêts ?*.
Également :

(Lei) è pronto ?, *Vous êtes prêt ?*	**(Lei) è pronta ?,** *Vous êtes prête ?*
La prego, mi aiuti (direct),	*Je vous en prie, aidez-moi.*
Le ho telefonato ieri (indirect),	*Je vous ai téléphoné hier.*
Ecco il suo vestito (M)**, la sua gonna** (F),	*Voici votre tailleur et votre jupe.*

10. LES CHIFFRES

0, zero	8, otto	16, sedici	24, ventiquattro
1, uno	9, nove	17, diciassette	25, venticinque
1, due	10, dieci	18, diciotto	26, ventisei
3, tre	11, undici	19, diciannove	27, ventisette
4, quattro	12, dodici	20, venti	28, ventotto
5, cinque	13, tredici	21, ventuno	29, ventinove
6, sei	14, quattordici	22, ventidue	30, trenta
7, sette	15, quindici	23, ventitre	40, quaranta

50, cinquanta	300, trecento	1 000 000, un milione
60, sessanta	1 000, mille	2 000 000, due milioni
70, settanta	1 001, milleuno	600 000 000, seicento milioni
80, ottanta	1 600, milleseicento	1 000 000 000, un miliardo
90, novanta	2 000, duemila	2 000 000 000, due miliardi
100, cento	3 000, tremila	
101, centouno	10 000, diecimila	
102, centodue	100 000, centomila	
110, centodieci	600 000, seicentomila	

QUELQUES APPLICATIONS :

2,8 = **due virgola otto.** 10 % = **dieci per cento**

François I = **Francesco Primo.** Elisabeth II = **Elisabetta Seconda**

Louis XIV = **Luigi Quattordicesimo**

$3 + 2$ = **tre più due uguale a cinque** ;

$8 - 5$ = **otto meno cinque uguale a tre** ;

3×9 = **tre per nove uguale a ventisette** ;

$10 : 2$ = **dieci diviso due uguale a cinque.**

Sono nato nel 1932

Siamo negli anni Novanta ('90), *nous sommes dans les années 90*

Il Quattrocento, *le XVe siècle*

il ventesimo secolo, *le XXe siècle*

11. L'HEURE (Voir aussi **A 7**)

Che ore sono ? *Quelle heure est-il ?*

Sono		
	3 h	**le tre (in punto)**
	3 h 05	**le tre e cinque**
	3 h 10	**le tre e dieci**
	3 h 15	**le tre e quindici/un quarto**
	3 h 20	**le tre e venti**
	3 h 25	**le tre e venticinque**
	3 h 30	**le tre e trenta/mezzo/mezza**
	3 h 35	**le tre e trentacinque**

(horaire officiel)

3 h 40	**le quattro meno venti**	**le tre e quaranta**
3 h 45	**le quattro meno un quarto**	**le tre e quarantacinque**
3 H 50	**le quattro meno dieci**	**le tre e cinquanta**
3 h 55	**le quattro meno cinque**	**le tre e cinquantacinque**

RAPPELS :

• L'heure en italien s'exprime toujours avec l'article **le** :

Sono LE sei, *Il est six heures.*

• Les heures sont toujours au pluriel :

SONO le sette, *Il est sept heures.*

sauf :

E' l'una	*Il est une heure.*
E' mezzogiorno,	*Il est midi.*
E' mezzanotte,	*Il est minuit.*

• Dans les horaires officiels (avions, trains, etc.), l'heure s'exprime en entier :

18 h 45 = **le diciotto e quarantacinque.**

Lexique français-italien
et italien-français

Tous les mots rencontrés dans les parties A et B sont rassemblés ici dans l'ordre alphabétique. Le soulignement donne l'accent tonique lorsqu'il n'est pas régulier. Le genre des noms n'est indiqué qu'en cas de différence entre l'italien et le français. Dans ce cas, l'article figure entre parenthèses après le mot italien.

abonnement, **abbonamento**
abonner (s'), **fare un abbonamento**
abricot, **albicocca**
accepter, **accettare**
accompagner, **accompagnare**
acheter, **comprare**
addition, **conto (il)**
adresse, **indirizzo**
adresser, s', **rivolgersi**
aéroglisseur, **aliscafo**
aéroport, **aeroporto**
agence, **agenzia**
agence de presse, **agenzia stampa**
agence de voyages, **agenzia di viaggi**
agent, **vigile**
agneau, **agnello**
agréable, **gradevole**
Allemagne, **Germania**
aller, **andare**
aller (style), **stare**
aller (taille), **andare**
aller à l'étranger, **andare all'estero**
aller et retour, **andata e ritorno**
allergique, **allergico**
allô ?, **pronto ?**
allumer..., **accendere...**
alternative, **alternativa**
amende, **multa**
ami, **amico**
amusant, **divertente**
an, année, **anno**
analyse, **analisi**
anesthésiste, **anestesista**
animal, **animale**
anniversaire, **compleanno**
annuaire, **elenco**
annuler, **annullare**
août, **agosto**
apéritif, **aperitivo**
appartement, **appartamento**
appeler, **chiamare**

après, **dopo**
architecte, **architetto**
argent, **denaro, soldi (i)**
argent (métal), **argento**
argent comptant, **contanti (i)**
armistice, **armistizio**
armoire, **armadio (l')**
arrêt de bus, **fermata (la) del bus**
arrhes, **caparra (la)**
arriver, **arrivare**
arriver, **arrivare, succedere**
article, **articolo**
ascenseur, **ascensore**
asseoir, s', **sedere, sedersi**
assez (de), **abbastanza**
assiette, **piatto (il)**
assiette creuse, **piatto fondo**
assiette plate, **piatto piano**
assis, **seduto**
assister, **assistere**
assurance, **assicurazione**
attacher les ceintures, **allacciare le cinture**
attendre, **aspettare**
atterrir, **atterrare**
attestation, **attestazione**
aussi, **anche, così**
autocar, **pullman, corriera (la)**
automne, **autunno**
autoroute, **autostrada**
auto-stop, **autostop**
autre, **altro**
avance (en), **anticipo (in)**
avant, **prima**
avant-hier, **ieri l'altro**
avec, **con**
avenue, **corso (il)**
avertir, **avvertire**
avion, **aereo**
avocat, **avvocato**
avoir, **avere**
avril, **aprile**

141

bagage, **bagaglio**
bagage à main, **bagaglio a mano**
bagages, **bagagli**
bain, **bagno**
balcon, **balcone**
banlieue, **periferia**
banque, **banca**
barbe, **barba**
bateau, **nave (la)**
beau, **bello**
beaucoup, **molto**
besoin, **bisogno**
bière, **birra**
bijou, **gioiello**
bijouterie, **gioielleria (la)**
bijou fantaisie, **bigiotteria (la)**
billet, **biglietto**
blanc, **bianco**
blessé, **ferito**
bœuf, **manzo**
boire, **bere**
bon, **buono**
bon marché, **buon mercato**
bondé, **affollato**
bottes, **stivali (gli)**
boucherie, **macelleria**
bouchon, **tappo**
boulangerie, **forneria**
boulevard, **viale**
bouteille, **bottiglia**
boutique, **negozio (il)**
bras, **braccio** (pl. **braccia**)
brosse à dents, **spazzolino (lo) da denti**
brouillard, **nebbia (la)**
bruyant, **rumoroso**
bureau (meuble), **scrittoio, scrivania (la)**
bureau (travail), **ufficio**
bureau de tourisme, **ufficio informazioni**
bus, **bus, autobus**

cabine, **cabina**
cadeaux, **articoli da regalo**
café, **caffè**
café allongé, **caffè lungo**
café serré, **caffè ristretto**
caisse, **cassa**
caleçon, **slip**
camion, **camion**
capot, **cofano**
car, **pullman, corriera (la)**
carafe, **caraffa**
cardigan, **golf**
carrefour, **incrocio**

carré, **foulard**
carte de crédit, **carta di credito**
carte d'embarquement, **carta d'imbarco**
carte de séjour, **permesso (il) di soggiorno**
carte des vins, **carta dei vini**
carte d'identité, **carta d'identità**
carte grise, **libretto (il) di circolazione**
carte postale, **cartolina**
carte téléphonique, **scheda telefonica**
carte verte, **carta verde**
carte (restaurant), **menu (il)**
casque, **casco**
casser (se) une jambe, **rompersi una gamba**
cathédrale, **cattedrale**
cave, **cantina (la)**
ce, cet, **questo**
ceinture, **cintura**
cendrier, **posacenere**
centre, **centro**
centre-ville, **centro città**
certificat, **certificato**
chaise, **sedia**
chaleur, **caldo (il)**
chambre, **camera, stanza**
chambre double, **camera matrimoniale**
chambres libres, **camere disponibili**
changer, **cambiare**
chantilly, **panna montata**
chapeau, **cappello**
chaque, **ogni (inv.)**
charcuterie, **salumeria**
chat, **gatto**
chaud, **caldo**
chaussettes, **calze**
chaussures, **scarpe**
chef de bureau, **capufficio**
chemin, **via**
chemise, **camicia**
chèque, **assegno**
cher, **caro**
chercher, **cercare**
chien, **cane**
chirurgien, **chirurgo**
choisir, **scegliere**
ciel, **cielo**
cinéma, **cinema**
citron, **limone**
citronnade, **limonata**
clé, **chiave**
client, **ospite**
clignotant, **freccia (la)**
climat, **clima (il)**
coffre, **baule**

col (montagne), **passo**
collant, **collant (il)**
coloré, **colorato**
combien, **quanto**
comme, **come**
commencer, **cominciare**
compartiment, **scompartimento**
complet, **completo**
comprendre, **capire**
comptant, au, **contanti, in**
comptoir, **banco**
concours, **concorso**
conducteur, **autista, conducente**
conduire, **guidare**
confiance, **fiducia**
connaître, **conoscere**
conseiller, **consigliare**
consommer, **consumare**
contagieux, **contagioso**
content, **contento**
contrôleur, **controllore**
conversation, **conversazione**
costume (homme), **vestito**
coton, **cotone**
couchette, **cuccetta**
couleur, **colore**
couloir, **corridoio**
coup de tonnerre, **tuono**
couple, **coppia (la)**
courir, **correre**
court, **corto**
couteau, **coltello**
coûter, **costare, venire**
couvert (temps), **coperto**
couverts, **posate (le)**
crabe, **granco/chi**
craindre, **temere**
cravate, **cravatta**
crème solaire, **crema solare**
crevettes, **gamberetti (i)**
croire, **credere**
croisière, **crociera**
cuiller, **cucchiaio (il)**
cuir, **cuoio**
cuisine, **cucina**
cuisiner, **cucinare**
culotte, **slip**
cure-dents, **stuzzicadenti**

dame, **signora, donna**
dangereux, **pericoloso**
danser, **ballare**
débarrasser la table, **sparecchiare la tavola**

débarras, **ripostiglio, sgabuzzino**
debout, **in piedi**
décembre, **dicembre**
déclarer qqch., **dichiarare qualcosa**
décoller, **decollare**
décrocher, **staccare**
dedans, **dentro**
défense de stationner, **divieto (il) di sosta**
dehors, **fuori**
déjeuner (n.), **pranzo**
déjeuner (v.), **pranzare**
demain, **domani**
demande, **domanda**
demander, **chiedere, domandare**
demi, **mezzo**
dénonciation, **denuncia**
dent, **dente**
dentifrice, **dentifricio**
dentiste, **dentista**
déodorant, **deodorante**
dépanneuse, **carro (il) attrezzi**
dépasser, **sorpassare**
déplaisir, **dispiacere**
déranger, **disturbare**
derrière, **dietro**
descendre, **scendere**
déshabiller (se), **spogliarsi**
désirer, **desiderare**
désolé, **dispiacuto**
dessert, **dessert**
dessin humouristique, **vignetta (la)**
dessinateur, **disegnatore, vignettista**
deux, **due**
devant, **davanti**
devoir, **dovere**
digestif, **digestivo**
dimanche, **domenica**
dinde, **tacchino (il)**
dîner (n.), **cena (la)**
dîner (v.), **cenare**
dire, **dire**
direct, **diretto**
directeur, **direttore**
direction, **direzione**
discuter, **discutere**
disque, **disco**
distributeur, **distributore**
divan, **divano**
dix, **dieci**
docteur, **dottore/ssa**
documents, **documenti**
dormir, **dormire**

douane, **dogana**
doublé, **foderato**
douche, **doccia**
douter, **dubitare**
doux, <u>morbido</u>
droit, **dritto, diritto**
droite, **destra**

eau, **acqua**
eau minérale, **acqua minerale**
écharpe, **sciarpa**
éclair, **lampo**
école, **scuola**
écouter, **ascoltare**
écran, **schermo**
écrivain, **scrittore**
également, **anche**
église, **chiesa**
électricité, **elettricità**
électrique, **el<u>e</u>ttrico**
elle, **lei**
elles, **loro**
éloigné, **lontano**
émission, **trasmissione**
employé, **impiegato**
en bas, **giù, sotto**
en haut, **su, di sopra**
en, **ne**
enceinte, **incinta**
encore, **ancora**
enregistrer, **registrare**
entrée (repas), **primo (il)**
entrer, **entrare**
envie, **voglia**
envoyer, **mandare, spedire**
épicerie, **droghe<u>ri</u>a**
espérer, **sperare**
essayer (goût), **assaggiare**
essayer (vêtement), **provare**
essence, **benzina**
estomac, <u>stom</u>aco
et, **e**
éteindre, <u>spe</u>gnere
été, **estate (l')**
étonné, **stupito**
étranger (lieu), <u>e</u>stero
étranger, **straniero**
être, <u>e</u>ssere
étroit, **stretto**
étudiant, **studente**
évier, **lavello, lavandino**
examen, **esame**
excursion, **escursione**

excuse, **scusa**
excuser, **scusare**
expédier, **spedire**

face (en), (**di**) **fronte**
fâché, **arrabiato**
faim, **fame**
faire, **fare**
faire la queue, **fare la coda**
faire le plein, **fare il pieno**
faire ses courses, **fare le spese**
fait à la main, **fatto a mano**
fatigué, **stanco**
fauteuil, **poltrona (la)**
femme, **donna, signora**
fenêtre, **finestra**
fermer, **chi<u>u</u>dere**
fête, **festa**
feu (circulation), **sem<u>a</u>foro**
février, **febbraio**
fibre, **fibra**
fièvre, **febbre**
fille, **figlia, ragazza**
film, **film**
fils, **figlio**
fin, **fine**
fonctionner, **funzionare**
fond, **fondo**
foudre, **f<u>u</u>lmine (il)**
fourchette, **forchetta**
fourrière, **dep<u>o</u>sito (il)**
fourrure, **pell<u>i</u>ccia**
fracture, **frattura**
frais, **fresco**
français, **francese**
freins, **freni**
frère, **fratello**
frigo, **il frigor<u>i</u>fero**
froid, **freddo**
fromage, **formaggio**
fromage râpé, **formaggio grattugiato**
frontière, **frontiera**
fruits, **frutta (la)**
fumer, **fumare**

gants, **guanti**
garage, **garage/officina mecc<u>a</u>nica (l')**
garçon, **cameriere**
gare, **stazione**
garer, **parcheggiare**
garniture, **contorno**
gâteau, **dolce**
gauche, **sinistra**

gazinière, **cucina a gas**
gel, **gelo**
gendarmerie, **stazione dei carabinieri**
gens, **gente (la)**
gilet, **golf, maglia, canottiera**
gilet de corps, **maglietta**
glace, **gelato**
gorge, **gola**
grand, **grande**
grand magasin, **grande magazzino**
grêle, **grandine**
grenier, **la soffitta**
grève, **sciopero (lo)**
griffé (vêtement), **firmato**
guéri, **guarito**
guerre, **guerra**
guichet, **sportello**

habiller, s', **vestire, vestirsi**
habiter, **abitare**
hâte, **fretta**
haut, **alto**
hebdomadaire, **settimanale**
heure, **ora**
hier, **ieri**
hiver, **inverno**
hivernal, **invernale**
homme, **uomo**
hôpital, **ospedale**
horaire, **orario (ufficiale)**
hors-d'œuvre, **antipasto**
hôtel, **hotel, albergo**
hôtesse, **hostess (la)** (avion) ; **valletta**
huile, **olio (l')**
humide, **umido**
hurler, **urlare**

ici, **qui**
il, **lui**
ils, **loro**
imbuvable, **imbevibile**
immeuble, **condominio, immobile**
imperméable, **impermeabile**
inclinable, **inclinabile**
inclus, **incluso**
indicatif, **prefisso**
indiquer, **indicare**
infimier/ère, **infermiere/a**
information, **informazione**
infos télévisées, **telegiornale (il)**
ingénieur, **ingegnere**
inondation, **inondazione**

insister, **insistere**
interdiction de fumer, **vietato fumare**
intéressant, **interessante**
intéressé, **interessato**
international, **internazionale**
interurbain, **interurbano**
invitation, **invito (l')**
inviter, **invitare**
italien, **italiano**
itinéraire, **itinerario**

jambon, **prosciutto**
janvier, **gennaio**
jardin, **il giardino**
je, **io**
jeter, **gettare, buttare via**
jeton, **gettone**
jeudi, **giovedì**
jeune, **giovane**
jouer, **giocare**
jouet, **giocattolo**
jour, **giorno**
journal, **giornale**
journaliste, **giornalista (il, la)**
journal radio, **notiziario**
journée, **giornata**
juillet, **luglio**
juin, **giugno**
jupe, **gonna**
jus, **sugo**
jus de fruits, **succo di frutta**

kiosque, **edicola (l')**

lac, **lago**
laine, **lana**
laisser, **lasciare**
lait, **latte**
lapin, **coniglio**
large, **largo**
lave-linge, **lavatrice (la)**
lave-vaisselle, **lavastoviglie (la)**
laver, **lavare**
leçon, **lezione**
lecteur, **lettore**
léger, **leggero**
légumes, **verdura (la)**
lettre, **lettera**
lever, se, **alzare, alzarsi**
libre, **libero**
ligne, **linea**
limite, **limite**

lin, **lino**
lire, **leggere**
lire, **lira**
liste d'attente, **lista d'attesa**
lit, **letto**
livre, **libro**
logement, **sistemazione (la)**
loin, **lontano**
long, **lungo**
louer, **affittare**
lourd, **pesante**
lumineux, **luminoso**
lundi, **lunedì**
luxueux, **lussuoso**

madame, **signora**
magasin, **negozio**
magnétoscope, **videoregistratore**
mai, **maggio**
maigre, **magro**
mairie, **municipio (il)**
maison, **casa**
malade, **ammalato**
malpoli, **maleducato**
malsain, **malsano**
manger, **mangiare**
manquer, **mancare**
manteau, **cappotto**
marchand de quatre-saisons, **fruttivendolo**
marcher, **camminare**
marché, **mercato**
mardi, **martedì**
marié, **sposato**
mars, **marzo**
match, **partita (la)**
matin, **mattina (la), mattino**
mauvais (temps), **brutto**
mauvais (goût), **cattivo**
méchant, **brutto**
médecin, **medico**
médicament, **medicina (la)**
melon, **melone**
même, **stesso**
mensuel, **mensile**
menthe, **menta**
mentir, **mentire**
menu, **menu (a prezzo fisso)**
mer, **mare (il)**
mercredi, **mercoledì**
mère, **madre**
message, **messaggio**
meubles, **mobili**
meublé, **ammobiliato**

midi, **mezzogiorno**
mieux, **meglio**
mille, **mille**
minuit, **mezzanotte**
minute, **minuto (il)**
moins, **meno**
mois, **mese**
monnaie, **spiccioli (gli)**
monsieur, **signore**
monter, **salire**
moto, **moto**
mouchoir, **fazzoletto**
moutarde, **senape**
moyen, **mezzo**
mystère, **mistero**

nager, **nuotare**
national, **nazionale**
nausée, **nausea**
neige, **neve**
neiger, **nevicare**
nocturne, **notturno**
Noël, **Natale**
noir, **nero**
nom, **nome**
non-fumeurs, **non fumatori**
nous, **noi**
nouvelle (info), **notizia**
novembre, **novembre**
nuage, **nuvola (la)**
nuageux, **nuvoloso**
nuit, **notte**
numéro, **numero**

occupé, **occupato**
octobre, **ottobre**
œil, **occhio**
officiel, **ufficiale**
offre, **offerta**
opération, **operazione**
opérer, **operare**
or, **oro**
orage, **temporale**
orange, **arancia**
orange pressée, **spremuta d'arancia**
orangeade, **aranciata**
ordonnance, **ricetta**
où, **dove**
oublier, **dimenticare**
ouvert, **aperto**
ouvrir, **aprire**

page, **pagina**
pain, **pane**

paire, **paio (il)**
palourde, **vongola**
panne, **guasto (il)**
pantalon, **pantaloni, calzoni (i)**
pantoufles, **pantofole**
papier, **carta (la)**
papiers (identité), **documenti**
parapluie, **ombrello**
parasol, **ombrellone**
parents, **genitori**
parfumerie, **profumeria**
parking, **parcheggio**
parking payant, **parcheggio a pagamento**
parler, **parlare**
parmesan râpé, **parmigiano grattugiato**
partie, **parte**
partir, **partire**
passage clouté, **passaggio pedonale**
passeport, **passaporto**
passer, **passare**
pâtes, **pasta (la)**
pâtes au four, **pasta (la) al forno**
pâtisserie, **pasticceria**
pavillon, **villa (la)**
payer, **pagare**
pêche, **pesca**
peinture, **pittura**
pendant, **durante, per**
penser, **pensare**
père, **padre**
périmé, **scaduto**
période, **periodo**
permis, **permesso**
permis de conduire, **patente (la)**
personne, **persona**
petit déjeuner, **colazione (la)**
petite assiette, **piattino (il)**
petite cuiller, **cucchiaino (il)**
peu, **poco**
peur, **paura**
phares, **fari**
pharmacie, **farmacia**
pièce, **stanza, camera**
pierre, **pietra**
piqûre, **iniezione**
place assise, **posto a sedere**
place, **posto**
plage, **spiaggia**
plaire, **piacere**
plat, **piatto**
plat (adj.), **piatto**
plat du jour, **piatto del giorno**
plat principal, **secondo (il)**

plâtre, **gesso**
pleurer, **piangere**
pleuvoir, **piovere**
pluie, **pioggia**
pneu, **gomma (la)**
pointure, **numero (il)**
poire, **pera**
poisson, **pesce**
poissonnerie, **pescheria**
poivre, **pepe**
pommes de terre, **patate**
pompier, **pompiere**
pont, **ponte**
port, **porto**
portefeuille, **portafoglio**
possible, **possibile**
poste (bureau de), **ufficio postale**
poste de péage, **casello**
pot-de-vin, **bustarella (la)**
poubelle, **pattumiera**
poulet, **pollo**
pourboire, **mancia (la)**
pouvoir, **potere**
précieux, **prezioso**
préférer, **preferire**
prendre, **prendere**
préparer, **preparare**
présentateur, **presentatore**
présentation, **presentazione**
présenter, **presentare**
presse, **stampa**
prêt, **pronto**
prévu, **previsto**
premier, **primo**
printemps, **primavera (la)**
privé, **privato**
prix, **prezzo**
prochain, **prossimo**
produit, **prodotto**
professeur, **professore/ssa**
programme, **programma (il)**
promenade, **passeggiata**
publicité, **pubblicità**
puis, **poi**
pull, **maglione**
pur, **puro**
pyjama, **pigiama**

quai, **binario, marciapiede**
quartier, **quartiere**
quitter, **lasciare, partire**
quotidien, **quotidiano**

147

raccrocher, **riattaccare**
raconter, **raccontare**
radio, **radio**
radiographie, **radiografia**
rafale, **raffica**
raison, **ragione**
rappeler (tél.), **richiamare**
rayon (magasin), **reparto**
réception, **ricevimento (il)**
rêche, **ruvido**
réclamation, **reclamo (il)**
recommandation, **raccomandazione**
reconnaître, **riconoscere**
reçu, **ricevuta (la)**
refaire, **rifare**
regarder, **guardare**
rencontrer, **incontrare**
renseignement, **informazione**
rentrer, **tornare**
répéter, **ripetere**
répondeur, **segreteria (la) telefonica**
répondre, **rispondere**
réservation, **prenotazione**
responsable, **reponsabile**
restaurant, **ristorante**
rester, **stare, restare**
restoroute, **autogrill**
résultat, **risultato**
retard, **ritardo**
retourner, **tornare**
réveiller, **svegliare**
revue, **rivista**
rhume, **raffreddore**
riche, **ricco**
rire, **ridere**
robe, **abito (l'), vestito (il)**
robe de chambre, **vestaglia**
rond-point, **rotonda (la)**
rosé (vin), **rosato**
roue, **ruota**
roue de secours, **ruota di scorta**
rouge, **rosso**
route, **strada**
rue, **via**
ruelle, **vicolo (il)**
rugueux, **ruvido**

sac à main, **borsa (la)**
saison, **stagione**
salade de fruits, **macedonia**
salade, **insalata**
salle, **sala**
salle à manger, **la sala da pranzo**

salle de bains, **(sala da) bagno**
saluer, **salutare**
samedi, **sabato**
sandale, **sandale (il)**
sandwich, **panino**
satellite, **satellite**
sauce, **salsa**
savoir, **sapere**
savon, **sapone**
savonnette, **saponetta (la)**
sec, **secco**
séjour, **soggiorno (il)**
sel, **sale**
sens unique, **senso unico**
septembre, **settembre**
serré, **stretto**
serveuse, **cameriera**
service, **reparto** (hôpital)
serviette, **tovagliolo (il)**
servir, **servire**
seul, **solo**
seulement, **solo, soltanto**
shampoing, **shampoo**
si (adv.), **si**
si (conj.), **se**
siège, **sedile**
signifier, **significare**
silencieux, **silenzioso**
sœur, **sorella**
soie, **seta**
soif, **sete**
soir, **sera (la)**
soldes, **saldi (i)**
soleil, **sole**
sombre, **buio**
sommeil, **sonno**
sortir, **uscire**
souffrir, **soffrire**
souple, **morbido**
sous, **sotto, giù**
sous-vêtements, **biancheria intima**
soute, **bagagliaio (il)**
soutien-gorge, **reggiseno**
spécial, **speciale**
spécialisé, **specializzato**
spécialité, **specialità**
spectacle, **spettacolo**
stable, **stabile**
standard (tél.), **centralino**
station-service, **stazione di servizio**
style, **stile**
sucre, **zucchero**
supermarché, **supermercato**

supposer, **supporre**
sur, **sopra, su**
survenir, **succedere**
syndicat d'initiative, **pro loco**
synthétique, **sintetico**

T-shirt, **maglietta**
table (meuble), **tavolo (il)**
table (mise), **tavola (la)**
taille, **taglia, misura**
tailleur (femme), **vestito**
talon, **tacco**
tapis, **tappeto**
tard, **tardi**
tarte, **dolce (il), torta**
téléphone, **telefono**
téléphoner, **telefonare**
téléspectateur, **telespettatore**
télévision, **televisione**
tempête, **tempesta**
temps, **tempo**
tenue de soirée, **abito da sera (l')**
terrasse, **la terrazza**
tête, **testa**
thé, **tè**
théâtre, **teatro**
ticket, **biglietto**
timbre, **francobollo**
timbre fiscal, **marca (la) da bollo**
timbre-poste, **francobollo**
tissu, **tessuto**
tomates, **pomodori (i)**
tort, **torto**
touriste, **turisto**
touristique, **turistico**
tousser, **tossire**
train, **treno**
transport, **trasporte**
travail, **lavoro**
travailler, **lavorare**
traversée, **traversata**
trop, **troppo**
trouver, **trovare**
tu, **tu**

un, **uno**
une, **una**
unité (tél.), **scatto**
urgence, **urgenza**
urgent, **urgente**

vacance, **vacanza**
valise, **valigia**

variable, **variabile**
veau, **vitello**
vélo, **bicicletta**
vendeur, **commesso**
vendeuse, **commessa**
vendre, **vendere**
vendredi, **venerdì**
venir, **venire**
vent, **vento**
ventre, **pancia**
verglas, **ghiaccio**
vérité, **verità**
verre, **bicchiere**
veste, **giacca**
vêtements, **vestiti**
viande, **carne**
vie, **vita**
vieux, **vecchio**
villa, **villa**
village, **paese, villaggio**
ville, **città**
vin d'honneur, **rinfresco**
vin, **vino**
vinaigre, **aceto**
vitesse, **velocità**
vivre, **vivere**
voie, **via**
voir, **vedere**
voisin, **vicino**
voiture, **macchina**
voiture-lit, **vagone letto**
voiture-restaurant, **vagone ristorante**
voix, **voce**
vol numéro..., **volo numero...**
voler, **volare**
volontiers, **volentieri**
vomir, **vomitare**
vouloir, **volere**
vous, **voi, Lei**
voyage, **viaggio**
voyageur, **passeggero, viaggiatore**
vue, **vista**

wagon-lit, **vagone letto**
wagon-restaurant, **vagone ristorante**

y, **ci**

zone d'enlèvement, **zona rimozione**
zone piétonnière, **zona pedonale**

abbastanza, assez (de)
abbonamento, abonnement
abitare, habiter
abito (l'), robe
abito da sera (l'), tenue de soirée
accendere..., allumer...
accettare, accepter
accompagnare, accompagner
aceto, vinaigre
acqua, eau
acqua minerale, eau minérale
aereo, avion
aeroporto, aéroport
affittare, louer
affollato, bondé
agenzia, agence
agenzia di viaggi, agence de voyages
agenzia stampa, agence de presse
agnello, agneau
agosto, août
albergo, hôtel
albicocca, abricot
aliscafo, aéroglisseur
allacciare le cinture, attacher les ceintures
allergico, allergique
alternativa, alternative
alto, haut
altro, autre
alzare, alzarsi, lever, se
amico, ami
ammalato, malade
ammobiliato, meublé
analisi, analyse
anche, aussi, également
ancora, encore
andare, aller
andare, aller (taille)
andare all'estero, aller à l'étranger
andata e ritorno, aller et retour
anestesista, anesthésiste
animale, animal
anno, an, année
annullare, annuler
anticipo (in), avance (en)
antipasto, hors-d'œuvre
aperitivo, apéritif
aperto, ouvert
appartamento, appartement
aprile, avril
aprire, ouvrir
arancia, orange
aranciata, orangeade
architetto, architecte

argento, argent (métal)
armadio (l'), armoire
armistizio, armistice
arrabbiato, fâché
arrivare, arriver
articoli da regalo, cadeaux (magasin)
articolo, article
ascensore, ascenseur
ascoltare, écouter
aspettare, attendre
assagiare, essayer (goût)
assegno, chèque
assicurazione, assurance
assistere, assister
assistere, assister, porter secours
atterrare, atterrir
attestazione, attestation
autista, conducteur
autogrill, restoroute
autostop, auto-stop
autostrada, autoroute
autunno, automne
avere, avoir
avvertire, avertir
avvocato, avocat

bagagliaio (il), soute
bagaglio/gli, bagage/s
bagaglio a mano, bagage à main
bagno, bain, salle de bains
balcone, balcon
ballare, danser
banca, banque
banco, comptoir
barba, barbe
basso, bas ; (talon) plat (adj.)
baule, coffre
bello, beau
benzina, essence
bere, boire
biancheria intima, sous-vêtements
bianco, blanc
bicchiere, verre
bicicletta, vélo
bigiotteria (la), bijoux frantaisie
biglietto, billet, ticket
binario, quai
birra, bière
bisogno, besoin
borsa (la), sac à main
bottiglia, bouteille
braccio (pl. **braccia**), bras
brutto, mauvais (temps)

buio, sombre
buono, bon
buon mercato, bon marché
bustarella (la), pot-de-vin
buttare via, jeter

cabina, cabine
caffè, café
caffè lungo, café allongé
caffè ristretto, café serré
caldo (il), chaleur
caldo, chaud
calze, chaussettes
calzoni, pantalon
cambiare, changer
camera, chambre, pièce
camera matrimoniale, chambre double
camere disponibili, chambres libres
cameriera, serveuse
cameriere, garçon
camicia, chemise
camion, camion
camminare, marcher
cane, chien
canottiera, gilet
cantina, cave
caparra (la), arrhes
capello, cheveu
capire, comprendre
cappello, chapeau
cappotto, manteau
capufficio, chef de bureau
caraffa, carafe
carne, viande
caro, cher
carro (il) attrezzi, dépanneuse
carta (la), papier
carta d'identità, carte d'identité
carta d'imbarco, carte d'embarquement
carta dei vini, carte des vins
carta di credito, carte de crédit
carta verde, carte verte
cartolina, carte postale
casa, maison
casco, casque
casello di pedaggio, poste de péage
cassa, caisse
cattedrale, cathédrale
cattivo, méchant, mauvais (goût)
cena (la), dîner (n.)
cenare, dîner (v.)
centralino, standard (tél.)
centro, centre

centro città, centre-ville
cercare, chercher
certificato, certificat
chiamare, appeler
chiave, clé
chiedere, demander
chiesa, église
chirurgo, chirurgien
chiudere, fermer
cielo, ciel
cinema, cinéma
cintura, ceinture
città, ville
ci, y
clima (il), climat
cofano, capot
colazione (la), petit déjeuner
collant (il), collant
colorato, coloré
colore, couleur
coltello, couteau
come, comme
cominciare, commencer
commessa, vendeuse
commesso, vendeur
compleanno, anniversaire
completo, complet
comprare, acheter
concorso, concours
condominio, immeuble
conducente, conducteur
coniglio, lapin
conoscere, connaître
consigliare, conseiller
consumare, consommer
contagioso, contagieux
contanti (i), argent comptant
contanti, in, comptant, au
contento, content
conto (il), addition
con, avec
contorno, garniture
controllore, contrôleur
conversazione, conversation
coperto, couvert
coppia (la), couple
corridoio, couloir
corriera (la), autocar
correre, courir
corso (il), avenue
corto, court
così, aussi
costare, coûter

cotone, coton
cravatta, cravate
credere, croire
crema solare, crème solaire
crociera, croisière
cuccetta, couchette
cucchiaino (il), petite cuiller
cucchiaio (il), cuiller
cucina a gas, gazinière
cucina, cuisine
cucinare, cuisiner
cuoio, cuir

davanti, devant
decollare, décoller
denaro, argent
dente, dent
dentifricio, dentifrice
dentista, dentiste
dentro, dedans
denuncia, dénonciation
deodorante, déodorant
deposito (il), fourrière
desiderare, désirer
dessert, dessert
destra, droite (nom)
dicembre, décembre
dichiarare qualcosa, déclarer qqch.
dieci, dix
dietro, derrière
digestivo, digestif
dimenticare, oublier
dire, dire
diretto, direct
direttore, directeur
direzione, direction
diritto (nom et adj.), droit
disco, disque
discutere, discuter
disegnatore, dessinateur
dispiacere, déplaisir
dispiasciuto, désolé
distributore, distributeur
disturbare, déranger
divano, divan
divertente, amusant
divieto (il) di sosta, défense de stationner
doccia, douche
documenti, documents, papiers (identité)
dogana, douane
dolce (il), tarte, gâteau
domanda, demande
domandare, demander

domani, demain
domenica, dimanche
donna, femme, dame
dopo, après
dormire, dormir
dottore/ssa, docteur
dovere, devoir
dove, où
dritto, droit
drogheria, épicerie
dubitare, douter
due, deux
durante, pendant, durant

e, et
edicola (l'), kiosque
elenco, annuaire
elettricità, électricité
elettrico, électrique
entrare, entrer
esame, examen
escursione, excursion
essere, être
estate (l'), été
estero, étranger (lieu)

fame, faim
fare, faire
fare il pieno, faire le plein
fare la coda, faire la queue
fare le spese, faire les courses
fare un abbonamento, abonner (s')
fari, phares
farmacia, pharmacie
fatto a mano, fait à la main
fazzoletto, mouchoir
febbraio, février
febbre, fièvre
ferito, blessé
fermata (la) del bus, arrêt de bus
festa, fête
fibra, fibre
fiducia, confiance
figli, enfants, fils
figlia, fille
figlio, fils
film, film
finestra, fenêtre
fine, fin
firmato, griffé (vêtements)
foderato, doublé
fondo, fond
forchetta, fourchette

formaggio, fromage
formaggio grattugiato, fromage râpé
forneria, boulangerie
foulard, carré
francese, français
francobollo, timbre (-poste)
fratello, frère
frattura, fracture
freccia (la), clignotant
freddo, froid
freni, freins
fresco, frais
fretta, hâte
frigorifero, frigo
fronte, face
frontiera, frontière
frutta (la), fruits
fruttivendolo, marchand de quatre-saisons
fulmine (il), foudre
fumare, fumer
funzionare, fonctionner, marcher
fuoco, feu
fuori, dehors

gamberetti (i), crevettes
garage, garage
gatto, chat
gelato (il), glace
gelo, gel
genitori, parents
gennaio, janvier
gente (la), gens (les)
Germania, Allemagne
gesso, plâtre
gettare, jeter
gettone, jeton
ghiaccio, verglas
giacca, veste
giardino, jardin
giocare, jouer
giocattolo, jouet
gioielleria, bijouterie
gioiello, bijou
giornale, journal
giornalista (il), journaliste
giornata, journée
giorno, jour
giovane, jeune
giovedì, jeudi
giù, sotto, en bas
giugno, juin
giù, sous
gola, gorge

golf, cardigan, gilet
gomma (la), pneu
gonna, jupe
gradevole, agréable
granchio/chi, crabe/s
grande, grand
grande magazzino, grand magasin
grandine, grêle
guanti, gants
guardare, regarder
guarito, guéri
guasto (il), panne
guerra, guerre
guidare, conduire

hostess (la), hôtesse (d'avion)
hotel, hôtel

ieri, hier
ieri l'altro, avant-hier
imbevibile, imbuvable
immobile, immeuble
impermeabile, imperméable
impiegato, employé
in, en, dans
incinta, enceinte
inclinabile, inclinable
incluso, inclus
incontrare, rencontrer
incrocio, carrefour
indicare, indiquer
indirizzo, adresse
infermiere/a, infirmier/ère
informazione, information, renseignement
ingegnere, ingénieur
iniezione, piqûre
inondazione, inondation
in piedi, debout
insalata, salade
insistere, insister
interessante, intéressant
interessato, intéressé
internazionale, international
interurbano, interurbain
invernale, hivernal
inverno, hiver
invitazione, invitation
invito (l'), invitation
io, je
italiano, italien
itinerario, itinéraire

lago, lac
lampo, éclair

lana, laine
largo, large
lasciare, laisser, quitter
latte, lait
lavandino, évier
lavare, laver
lavastoviglie (la), lave-vaisselle
lavatrice (la), lave-linge
lavello, évier
lavorare, travailler
lavoro, travail
leggere, lire
leggero, léger
lei, elle
Lei, vous
lettera, lettre
letto, lit
lettore, lecteur
lezione, leçon
libero, libre
libretto (il) di circolazione, carte grise
libro, livre
limite, limite
limonata, citronnade
limone, citron
linea, ligne
lino, lin
lira, lire
lista d'attesa, liste d'attente
lontano, loin (adv.), éloigné (adj.)
loro, elles, ils
luglio, juillet
lui, il
luminoso, lumineux
lunedì, lundi
lungo, long
lussuoso, luxueux

macchina, voiture
macedonia, salade de fruits
macelleria, boucherie
madre, mère
maggio, mai
maglia, gilet
maglietta, gilet de corps
maglione, T-shirt
maglione, pull
magro, maigre
maleducato, malpoli, grossier
malsano, malsain
mamma, maman
mancare, manquer
mancia (la), pourboire

mandare, envoyer
mangiare, manger
mano (la), mani (le), main(s)
manzo, bœuf
marca (la) da bollo, timbre fiscal
marciapiede, quai
mare (il), mer
martedì, mardi
marzo, mars
mattina (la), matin
mattino, matin
medicina (la), médicament
medico, médecin
meglio, mieux
melone, melon
meno, moins
mensile, mensuel
menta, menthe
mentire, mentir
menu (a prezzo fisso), menu
menu (il), carte (restaurant)
mercato, marché
mercoledì, mercredi
mese, mois
messaggio, message
mezzanotte, minuit
mezzo (adj.), demi
mezzo (nom), moyen
mezzogiorno, midi
mille, mille
minuto (il), minute
mistero, mystère
misura, taille, mesure
mobili, meubles
molto, beaucoup
morbido, doux, souple
moto, moto
multa, amende, P.V.
municipio (il), mairie

Natale, Noël
nausea, nausée
nave (la), bateau
nazionale, national
ne, en
nè... nè, ni... ni...
nebbia (la), brouillard
negozio (il), boutique
negozio, magasin
nero, noir
neve, neige
nevicare, neiger
no, non (adv.)

noi, nous
nome, nom
non fumatori, non-fumeurs
notiziario, journal radio
notizia, nouvelle (info)
notte, nuit
notturno, nocturne
novembre, novembre
numero (il), pointure, numéro
nuotare, nager
nuvola (la), nuage
nuvoloso, nuageux

occhio, œil
occupato, occupé
offerta, offre
officina meccanica (l'), garage
ogni (inv.), chaque
olio (l'), huile
ombrello, parapluie
ombrellone, parasol
operare, opérer
operazione, opération
ora, heure
orario, horaire
orario ufficiale, horaire officiel
oro, or
ospedale, hôpital
ospite, client
ottobre, octobre

padre, père
paese, pays ; village
pagare, payer
pagina, page
paio (il), paire
pancia, ventre
pane, pain
panino, sandwich
panna montata, chantilly
pantaloni, pantalons
pantofole, pantoufles
papà, papa
parcheggiare, garer
parcheggio, parking
parcheggio a pagamento, parking payant
parlare, parler
parmigiano grattugiato, parmesan râpé
parte, partie
partire, partir, quitter
partita (la), match
passaggio pedonale, passage clouté
passaporto, passeport

passare, passer
passeggero, passager, voyageur
passeggiata, promenade
passo, col (montagne)
pasta (la), pâtes
pasta (la) al forno, pâtes au four
pasticceria, pâtisserie
patate, pommes de terre
patente (la), permis de conduire
pattumiera, poubelle
paura, peur
pelliccia, fourrure
pensare, penser
pepe, poivre
per, pendant
pericoloso, dangereux
periferia, banlieue
permesso (il) di soggiorno, carte de séjour
pera, poire
periodo, période
permesso, permis
persona, personne
pesante, lourd
pesca, pêche
pesce, poisson
pescheria, poissonnerie
piacere, plaire
piangere, pleurer
piattino (il), petite assiette
piatto (il), assiette, plat
piatto del giorno, plat du jour
piatto fondo, assiette creuse
piatto piano, assiette plate
pietra, pierre
pigiama, pyjama
pioggia, pluie
piovere, pleuvoir
pittura, peinture
poco, peu
poi, puis
pollo, poulet
poltrona (la), fauteuil
pomodori (i), tomates
pompiere, pompier
ponte, pont
portafoglio, portefeuille
porto, port
portacenere, cendrier
posate (le), couverts
possibile, possible
posto a sedere, place assise
posto, place
potere, pouvoir

pranzare, déjeuner (v.)
pranzo, déjeuner (n.)
preferire, préférer
prefisso, indicatif
prendere, prendre
prenotazione, réservation
preparare, préparer
presentare, présenter
presentatore, présentateur
presentazione, présentation
previsto, prévu
prezioso, précieux
prezzo, prix
primavera (la), printemps
prima, avant
primo (il), entrée (repas)
primo, premier
privato, privé
pronto ?, allô ?
prosciutto, jambon
provare, essayer (vêtement)
pro loco, syndicat d'initiative
prodotto, produit
professore/ssa, professeur
profumeria, parfumerie
programma (il), programme
pronto, prêt
prossimo, prochain
pubblicità, publicité
pullman, autocar
puro, pur

quanto, combien
quartiere, quartier
questo, ce, cet
qui, ici
quotidiano, quotidien

raccomandazione, recommandation
raccontare, raconter
radio, radio
radiografia, radiographie
raffica, rafale
raffreddore, rhume
ragione, raison
reclamo (il), réclamation
regalo, cadeau
reggiseno, soutien-gorge
registrare, enregistrer
reparto, service (hôpital)
reparto, rayon (magasin)
reponsabile, responsable
restare, rester

riattaccare, raccrocher
ricco, riche
ricetta, ordonnance
ricevimento (il), réception
ricevuto (la), reçu
richiamare, rappeler (tél.)
riconoscere, reconnaître
ridere, rire
rifare, refaire
rinfresco, vin d'honneur
ripetere, répéter
ripostiglio, débarras
rispondere, répondre
ristorante, restaurant
risultato, résultat
ritardo, retard
ritorno, retour
rivista, revue
rivolgersi, adresser, s'
rompersi una gamba, casser (se) une jambe
rosato, rosé (vin)
rosso, rouge
rotonda (la), rond-point
rumoroso, bruyant
ruota, roue
ruota di scorta, roue de secours
ruvido, rêche, rugueux

sabato, samedi
sala, salle
(sala da) bagno, salle de bains
sala da pranzo, salle à manger
saldi (i), soldes
sale, sel
salire, monter
salsa, sauce
salumeria, charcuterie
salutare, saluer
sandalo (il), sandale
sandali, sandales
sapere, savoir
sapone, savon
saponetta (la), savonnette
satellite, satellite
scaduto, périmé
scarpe, chaussures
scatto, unité (tél.)
scegliere, choisir
scendere, descendre
scheda telefonica, carte téléphonique
schermo, écran
sciarpa, écharpe

sciopero (lo), grève
scompartimento, compartiment
scrittoio, bureau (meuble)
scrittore, écrivain
scrivania (la), bureau (meuble)
scuola, école
scusa, excuse
scusare, excuser
se, si (conj.)
secco, sec
secondo (il), plat principal
sedere, sedersi, asseoir, s'
sedia, chaise
sedile, siège
seduto, assis
segreteria (la) telefonica, répondeur
semaforo, feu (circulation)
senape, moutarde
senso unico, sens unique
sera (la), soir
servire, servir
seta, soie
sete, soif
settembre, septembre
settimanale, hebdomadaire
sgabuzzino, débarras
shampoo, shampooing
si, oui, si (adv.)
significare, signifier
signora, dame, madame
signore, monsieur
silenzioso, silencieux
sinistra, gauche
sintetico, synthétique
sistemazione (la), logement
slip, caleçon, culotte
soffitta (la), grenier
soffrire, souffrir
soggiorno, séjour
soldi (i), argent
sole, soleil
solo, seul ; seulement (adv.)
soltanto, seulement
sonno, sommeil
sopra, sur ; **di sopra**, en haut
sorella, sœur
sorpassare, dépasser
sotto, sous
sparecchiare la tavola, débarrasser la table
spazzolino (lo) da denti, brosse à dents
speciale, spécial
specialità, spécialité
specializzato, spécialisé

spedire, envoyer, expédier
spegnere, éteindre
sperare, espérer
spettacolo, spectacle
spiacere, déplaire
spiaggia, plage
spiccioli (gli), monnaie
spogliarsi, déshabiller (se)
sportello, guichet
sposato, marié
spremuta d'arancia, orange pressée
stabile, stable
staccare, décrocher
stagione, saison
stampa, presse
stanco, fatigué
stanza, pièce, chambre
stare, aller (style)
stare, rester, être
stazione, gare
stazione dei carabinieri, gendarmerie
stazione di servizio, station-service
stesso, même
stile, style
stivali (gli), bottes
stomaco, estomac
strada, route
straniero, étranger
stretto, étroit, serré
studente/essa, étudiant/e
stupito, étonné
stuzzicadenti, cure-dents
su, sur, en haut
succedere, arriver, survenir
succo di frutta, jus de fruits
sugo, jus, sauce
supermercato, supermarché
supporre, supposer
svegliare, réveiller

tacchino (il), dinde
tacco, talon
taglia, taille
tappeto, tapis
tappo, bouchon
tardi, tard
tavola (la), table (mise)
tavolo (il), table (meuble)
teatro, théâtre
telefonare, téléphoner
telefono, téléphone
telegiornale (il), infos télévisées

telespettatore, téléspectateur
televisione, télévision
temere, craindre
tempesta, tempête
temporale, orage
tempo, temps
terrazza, terrasse
tessuto, tissu
testa, tête
tè, thé
tornare, rentrer
tornare, retourner
torto, tort
tossire, tousser
tovagliolo (il), serviette
trasmissione, émission, transmission
trasporte, transport
traversata, traversée
treno, train
troppo, trop
trovare, trouver
tu, tu
tuono, coup de tonnerre
turistico, touristique
turisto, touriste

ufficiale, officiel
ufficio, bureau (lieu de travail)
ufficio informazioni, bureau de tourisme
ufficio postale, poste (bureau de)
umido, humide
una, une
uno, un
uomo, homme
urgente, urgent
urgenza, urgence
urlare, huler
uscire, sortir

vacanza, vacance
vagone letto, voiture (wagon)-lit
vagone ristorante, voiture (wagon)-restaurant
valigia, valise
valletta, hôtesse
variabile, variable
vecchio, vieux

vedere, voir
velocità, vitesse
vendere, vendre
venerdì, vendredi
venire, venir ; coûter
vento, vent
verdura (la), légumes
verità, vérité
vestaglia, robe de chambre
vestire, vestirsi, habiller, s'
vestiti, vêtements
vestito (il), robe
vestito, costume (homme)
vestito, tailleur (femme)
via (la), chemin
via, rue, voie
viale, boulevard
viaggiatore, voyageur
viaggio, voyage
vicino, voisin
vicolo (il), ruelle
videoregistratore, magnétoscope
vietato fumare, interdiction de fumer
vigile, agent
vignetta (la), dessin humoristique
vignettista, dessinateur
villa (la), pavillon, villa
villaggio, village
vino, vin
vista, vue
vita, vie
vitello, veau
vivere, vivre
voce, voix
voglia, envie
voi, vous
volare, voler
volentieri, volontiers
volere, vouloir
volo numero..., vol numéro...
vomitare, vomir
vongola, palourde

zona pedonale, zone piétonnière
zona rimozione, zone d'enlèvement
zucchero, sucre

Cet ouvrage a été composé par
TÉLÉ-COMPO - 61290 BIZOU
et achevé d'imprimer en juin 1995
sur les presses de Cox & Wyman Ltd
(Angleterre)

POCKET - 12, avenue d'Italie - 75627 Paris cedex 13
Tél. 44.16.05.00

Dépôt légal : juin 1993
Imprimé en Angleterre